LA STRATÉGIE DE L'ÉMOTION

ANNE-CÉCILE ROBERT

LA STRATÉGIE DE L'ÉMOTION

Préface d'Éric Dupond-Moretti

© Lux Éditeur, 2018
www.luxediteur.com

Dépôt légal: 3ᵉ trimestre 2018
Bibliothèque et Archives Canada
Bibliothèque et Archives nationales du Québec
ISBN: 978-2-89596-285-4
ISBN (epub): 978-2-89596-750-7
ISBN (pdf): 978-2-89596-940-2

Nous reconnaissons l'aide financière du gouvernement du Canada pour nos
activités d'édition.

*La dictature parfaite serait une dictature
qui aurait les apparences de la démocratie,
une prison sans murs dont les prisonniers
ne songeraient pas à s'évader. Un système
d'esclavage où, grâce à la consommation
et au divertissement, les esclaves auraient
l'amour de leur servitude.*

Aldous HUXLEY, *Le meilleur des mondes*

par Éric Dupond-Moretti

N E SORTEZ PAS VOS MOUCHOIRS. Dans ces pages, les larmes sont sèches. Elles ont été distillées par une analyse approfondie, documentée et toujours judicieusement illustrée du tsunami compassionnel qui emporte tout sur son passage aujourd'hui, et nous interdit de penser, et surtout de penser juste.

Anne-Cécile Robert nous conduit au carrefour d'un choix crucial que chacun d'entre nous doit affronter: d'une part, l'émotion comme seul ciment social démocratique, et de l'autre, la contrainte douloureuse de la réflexion et de la pensée. L'émotion facile devenue un réflexe et un credo collectif ou l'analyse ludique et donc critique de notre époque. Ce texte détaille sans complaisance les conséquences néfastes sur la liberté d'une époque moralisatrice où le lacrymal est omniprésent. L'auteure y décrypte la dérive médiatique qui fait de l'émotion victimaire le seul prisme par lequel l'information nous est livrée, sans oublier, bien sûr, l'émotion usée jusqu'à la corde par la classe politique et la menace populiste que celle-ci stimule.

Tout ici est analysé avec limpidité: l'émotion comme mode de vie sociale, l'adhésion irréfléchie à la douleur promue dans les médias et la pensée reléguée au rang de blasphème dans cette grand-messe populiste et médiatique.

Ce livre est dangereux.

Il nous rappelle que la liberté n'est pas une facilité et nous met en garde contre l'émotion qui génère, dans l'excès, une dictature qui nous tient tous dans un formatage panurgique.

Ce livre est dangereux et subversif, c'est pourquoi il faut le lire et le relire sans modération.

Introduction

Il en est de la démocratie comme des grenouilles. Une grenouille jetée dans une bassine d'eau bouillante s'en extrait d'un bond ; la même, placée dans un bain d'eau froide sous lequel le feu couve, se laisse cuire insensiblement. De multiples phénomènes se conjuguent pour « cuire » insidieusement les démocraties, moins tonitruants, mais tout aussi efficaces qu'un coup d'État avec ses militaires, ses tanks et ses exécutions sommaires. Tel l'innocent frémissement d'une eau qui bout, les dégâts occasionnés n'apparaissent jamais qu'au fil d'une juxtaposition qui habitue l'esprit et l'endort. La plupart des combustibles qui alimentent le feu sous la marmite ont été abondamment décrits ici et là : restriction des libertés publiques dans le cadre de la lutte contre le terrorisme[1], dictature des marchés[2], société du spectacle[3], explosion des inégalités[4], etc. On s'est, en revanche, assez peu arrêté sur l'invasion de l'espace

---

1. Lire par exemple Jean-Jacques Gandini, « Vers un état d'exception permanent », *Le Monde diplomatique*, janvier 2016.

2. Bernard Cassen (dir.), *Attac. Contre la dictature des marchés*, Paris, Syllepse, 1999.

3. Guy Debord, *La société du spectacle*, Paris, Buchet-Chastel, 1967.

4. Facundo Alvaredo *et al.*, *Rapport sur les inégalités mondiales 2018*, Paris, Laboratoire sur les inégalités mondiales, 2017.

social par l'émotion, et l'on n'a pas mesuré dans toute son ampleur le danger que ce phénomène représente pour la démocratie.

Par émotion, nous entendons en particulier l'état de surgissement lacrymal, mû par la tristesse ou par la joie, dans lequel les individus et les sociétés se trouvent souvent plongés et, surtout, dans lequel toutes sortes de mécanismes les incitent à se plonger. De l'invasion des faits divers dans les journaux aux discours politiques transformés en prêches, en passant par l'engouement pour les figures victimaires, le rapport au réel est de plus en plus gouverné par des affects tels que la peine, la colère ou les larmes, mais aussi la compassion ou l'empathie. Les sentiments, sollicités ou encouragés, s'installent au cœur des relations sociales au détriment des autres modes de connaissance, comme la réflexion ou la raison. Si, comme le disait Hegel, « rien de grand ne se fait sans passion », le phénomène actuel fait, au contraire, de l'émotion un état enfermant qui ne conduit pas à l'action, mais à la passivité. Tout concourt à ce que les individus s'ancrent dans un état émotionnel qui les prive d'empire sur eux-mêmes, les incitant à ressentir plutôt qu'à penser, les entraînant à subir plutôt qu'à agir, et les empêchant précisément de se comporter en citoyen.

Il n'est toutefois pas ici question de faire le procès de l'émotion. Ce serait aussi vain que stupide. Il s'agit plutôt d'étudier le rôle qu'elle joue dans nos sociétés ou plutôt le rôle qu'on lui fait jouer et, ce faisant, d'exposer l'« invasion de l'espace social par l'émotion » dans ses diverses manifestations. La présence des affects dans la vie de tous les jours, dans les relations humaines, est au demeurant naturelle et bénéfique, souvent spontanée. Elle fait aussi le sel de l'existence qui, sans cela, pourrait relever d'une sombre monotonie. Elle peut nous révéler une partie de nous-mêmes, nous fournir une indication sur notre état d'esprit à un moment donné. La comédienne Juliette Binoche conseille ainsi de « laisser ses émotions s'exprimer, en acceptant qu'elles ne soient pas forcément jolies, sans s'identifier à elles […]. Elles nous indiquent où nous en sommes, car elles passent, les émotions, elles ne sont pas un but, mais une aide et, à un moment donné, elles nous quittent d'elles-mêmes, on n'a plus besoin d'elles[5]. » Personne ne songerait donc à les éradiquer.

En revanche, leur mésusage soulève de multiples questions. D'où vient qu'un nombre croissant de nos actions se déploie sur le registre émotionnel ou qu'on en rend compte sur celui-ci et pas sur un autre? Quel que soit le domaine, l'émotion est convoquée, valorisée; elle détermine même le jugement qu'on porte sur une situation. Il suffit, par exemple, d'inscrire la question « quel est votre sentiment sur » dans la fenêtre d'un moteur de recherche pour voir surgir des interrogations hétéroclites, parfois carrément insolites, dont la caractéristique commune est souvent que les réponses à leur apporter ne présentent pas toujours un intérêt quelconque: quel est votre sentiment sur la succession des tempêtes? Quel est votre sentiment sur l'indice boursier CAC40? Quel est votre sentiment après les attentats de Paris[6]? Quel est votre sentiment de compétence parentale[7]?

---

5. Franck Nouchi, « Juliette Binoche: "La femme est facilement moquée, ridiculisée, on a besoin de la diminuer" », *Le Monde*, 23 octobre 2017.

6. Atlantico.fr, novembre 2015.

7. Germain Duclos et Marie Charbonniaud, « Le sentiment de compétence parentale », *Naître et grandir, avril 2006 et décembre 2010 – janvier 2011*, https://naitreetgrandir.com/fr/etape/0_12_mois/viefamille/fiche.aspx?doc=bg-naitre-grandir-estime-de-soi-competence-parentale.

Guinguette incendiée, quel est votre sentiment[8] ? Etc. Parfois, la question franchit la barrière de l'énigmatique, sa réponse devient incernable : quel est votre sentiment sur l'avenir ? On pourrait multiplier à l'infini des renvois au sentiment sur des sujets qui, comme la Bourse et les soubresauts de la météorologie, méritent avant tout une analyse scientifique ou, du moins, un avis autorisé. En outre, demander à quelqu'un dont la maison est dévastée par les eaux son sentiment sur les débordements du fleuve n'apportera sans doute pas d'informations inattendues…

Les médias affichent plus souvent qu'à leur tour la préférence accordée au registre sensible, y compris dans le traitement de l'information. Un rapide survol des unes des journaux ou du sommaire des émissions télévisées provoque immédiatement une bouffée émotionnelle : fait divers tragique impliquant la disparition d'un enfant, larmes versées par un responsable politique lors d'une cérémonie, témoignage bouleversant d'une personnalité victime d'un abus quel qu'il soit, enthousiasme d'une équipe sportive arrivée de justesse à la victoire, etc. Tout semble passé au tamis des affects, même lorsque l'actualité ne s'y prête pas spontanément. En 2015, les médias ont, à juste titre, beaucoup décrit la souffrance des populations grecques face à la crise économique qui s'abattait sur leur pays. En revanche, ils n'en ont tiré aucune conséquence politique dans la mesure où ils ont donné raison, sans la moindre distance critique, aux économistes de la « troïka » (Commission européenne, Banque centrale européenne [BCE], Fonds monétaire international [FMI]), dont le « plan de sauvetage » relevait pourtant du médicament qui tue. Les journaux donnent également

---

8. *Le Démocrate indépendant*, 15 décembre 2015.

abondamment la parole aux victimes du conflit en Syrie, par l'intermédiaire des associations qui suivent la situation sur le terrain. Des milliers de morts, notamment des civils, de nombreux crimes de guerre, voire des crimes contre l'humanité, jalonnent cette guerre qui a débuté en 2011. Pourtant, en mettant ainsi l'accent sur les souffrances des populations, ne détourne-t-on pas les médias de leur mission fondamentale qui est non seulement de rendre compte de ce qu'ils voient, mais aussi de fournir des grilles d'explication, quitte à mettre en cause les pouvoirs politiques, militaires ou autres. Ce n'est donc pas en se contentant de décrire la tragédie syrienne qu'on permet aux citoyens de comprendre ce qui est en jeu. En ouvrant les journaux, l'impression domine que la guerre se résume à un affrontement entre des « bons » et des « méchants », au fanatisme d'un « dictateur » (bien réel au demeurant). Chacun sait pourtant, même si le régime de Bachar el-Assad est effectivement criminel, que ce type de conflit obéit à des logiques multiples, à des jeux d'influences croisées, parfois inextricables. Contrairement à une idée répandue, traiter un événement sur le registre émotionnel ne constitue pas une garantie de pertinence et d'objectivité. Cela peut même contribuer à perpétuer l'incompréhension, voire la crise que l'on prétend résoudre. C'est ce que le directeur du *Monde diplomatique*, Serge Halimi, appelle les « dangers de l'indignation indignée[9] ». En l'occurrence, on peut perdre de vue l'essentiel : trouver une sortie à la guerre syrienne relève d'une démarche plus politique que morale, démarche que l'émotion peut perturber.

---

9. Serge Halimi, « Appeler une victoire par son nom », *Le Monde diplomatique*, novembre 2017.

Mais notre analyse doit, autant que faire se peut, embrasser le sujet dans toutes ses dimensions et en déceler les contradictions. Force est de reconnaître que, souvent, émotion et réflexion se mêlent, raison et sentiment se complètent et se stimulent, parfois d'une manière surprenante, par exemple dans le domaine politique. Le philosophe Frédéric Lordon démontre que penser est nécessaire à l'action, mais ne suffit pas. « Les idées ne sont rien si elles ne sont pas affectées. Ainsi, l'idée seule de la pauvreté ne suffit pas à provoquer la révolte contre ce qui l'engendre. Pour se révolter, il faut l'avoir vue de ses yeux, avoir mesuré de visu les souffrances qu'elle provoque. Tout est affaire de figurations intenses puisque ce sont ces images, ces visions qui, bien plus que tout autre discours abstrait sur la cause, déterminent à épouser la cause[10]. » De la même manière, l'alliance des genres pourrait être bénéfique dans le domaine économique et social. Les chefs d'entreprise se voient ainsi incités à faire de leur « intelligence émotionnelle » un outil de management, tandis que leurs salariés peuvent y recourir pour obtenir une augmentation[11]. Les registres ne s'excluent donc pas forcément ; ils vivent et s'épanouissent côte à côte, parfois ensemble, parfois en contradiction. Chacun peut jouer d'une corde puis se saisir d'une autre en étant toujours *in fine* le même, sans que son intégrité soit atteinte.

---

10. Frédéric Lordon, *Les affects de la politique*, Paris, Seuil, coll. « Sciences humaines », 2016.

11. David Goleman, *L'intelligence émotionnelle*, Paris, J'ai lu, coll. « Bien-être », 2003.

En revanche, et c'est le propre de nos sociétés, que signifie le recours à l'émotion dans des circonstances inhabituelles, voire saugrenues? Quel sens attribuer à son omniprésence dans la vie sociale? Où s'arrêtera l'extension du périmètre lacrymal? D'où vient, y compris sur le terrain politique, qu'un déséquilibre semble s'installer en défaveur de la réflexion et de la pensée? L'être humain dispose de nombreux outils pour observer le réel, le comprendre, s'y mêler, le transformer: son cœur, son cerveau, ses sens lui fournissent des informations dont il peut faire son miel pour évoluer et construire son destin. Depuis l'Antiquité, les philosophes étudient ces outils et leur attribuent des fonctions, notamment dans la perspective d'émanciper le citoyen et de fonder une société libre. Il s'agit d'un équilibre où la raison joue un rôle clé, car, commune à chaque humain, elle est ce qui relie et ce qui apaise. La raison met en effet à distance les passions subjectives qui, par nature, divisent. Elle ne les nie pas: elle les accueille en leur assignant une place qui permet le déploiement de leur force créatrice tout en laissant à la réflexion le soin de refaire l'unité du corps social par l'empire de la pensée et l'esprit critique.

Dans les sociétés contemporaines, les émotions envahissent l'espace social jusqu'à écarter petit à petit les autres modes de connaissance, notamment la raison. La philosophe Catherine Kintzler s'inquiète ainsi de la « dictature avilissante de l'affectivité[12] », le politiste Michel Richard évoque une « République compassionnelle[13] », l'avocat Éric Dupond-Moretti dénonce

---

12. Catherine Kintzler, « Condorcet, le professeur de liberté », *Marianne*, 6 novembre 2015.

13. Michel Richard, *La République compassionnelle*, Paris, Grasset, 2006.

quant à lui une «dictature de l'émotion». Les manifestations de cet immense renversement abondent et ne concernent pas que les médias, plus prompts à jouer de l'accordéon émotionnel qu'à titiller l'intelligence. Le monde politique souscrit lui aussi au protocole compassionnel, que ce soit dans la gestion quotidienne d'un pays ou d'une municipalité, ou dans la définition des politiques étrangères. En France, même les juges demandent une assistance psychologique afin de surmonter les émotions qui les envahissent quand leur mission réclame le sang-froid[14]. On est alors en droit de se demander comment ils ont pu s'acquitter de leurs tâches avant qu'on les gratifie d'un tel soutien lorsqu'il s'agissait de décider du sort d'un prévenu et parfois de lui ôter la vie. Il semble ici qu'on ne soit plus en mesure d'effectuer dans la sérénité ce qu'on faisait avant presque sans s'en apercevoir, comme monsieur Jourdain faisait de la prose. Il y a quelque chose d'inquiétant à voir des personnes à qui les citoyens confient les plus lourdes responsabilités avouer de plus en plus facilement qu'ils ont parfois la main qui tremble au moment d'agir… Faut-il comprendre que ce paquebot de sensibilité, dont on nous vante le confort et les mérites pour voguer sur les flots de la mer déchaînée, n'est en réalité qu'un frêle esquif et qu'il fait partie d'une sorte de nouveau théâtre social?

Contrairement à l'idée reçue de l'authenticité intrinsèque de l'émotion, son expansion n'est pas totalement spontanée ni entièrement innocente. Le déferlement lacrymal revêt dorénavant un aspect mécanique, s'immisçant dans tous les interstices de la société avec les encouragements des médias, des

---

14. Éric Dupond-Moretti, *Directs du droit*, Paris, Michel Lafon, 2018.

responsables politiques et, finalement, de tout l'encadrement social : associations, dirigeants d'entreprises, élus locaux, services administratifs, régies publicitaires, corps enseignant… Cette systématisation, qu'elle soit fortuite ou intentionnelle, modifie les contours de nos démocraties, transforme les règles de la vie civique. À la « stratégie du choc[15] » décryptée par Naomi Klein, faudrait-il ajouter une « stratégie de l'émotion » ? La militante canado-américaine soutient, dans un ouvrage célèbre, que crises et drames sont en fait l'occasion, pour les classes dirigeantes, d'avancer les éléments d'un programme « libéral » par un processus de « privatisation radicale des guerres et des catastrophes ». Ainsi, le bain lacrymogène dans lequel la société est plongée servirait les desseins de gouvernants qui y voient le moyen de noyer la colère que les échecs et l'impuissance des politiques pourraient susciter chez les citoyens. L'invocation des affects permettrait aussi de dépolitiser les débats et de maintenir les citoyens dans une position d'enfants dépendants, incapables de se gouverner eux-mêmes, abandonnant leur libre arbitre à une dictature bienveillante et à l'écoute de leurs émotions. Un mouchoir à la main, l'individu se replie sur lui-même comme en position fœtale tandis que les « gens qui savent », les « adultes » que sont les tenants du pouvoir, assurent la direction du monde. Mais au-delà des manipulations politiques, nous assistons à un phénomène sociologique massif où l'émotion est instrumentalisée par tous, dominants, dominés, etc. Il s'agit en fait d'une nouvelle modalité de la régulation sociale, typique peut-être à la technocratie économique, reconnue pour

---

15. Naomi Klein, *La stratégie du choc. La montée d'un capitalisme du désastre*, Arles/Leméac, Actes Sud/Montréal, 2008.

dévaloriser les formes politiques et institutionnelles de l'action. La technocratie économique liquide les formes politiques et, avec elles, les dispositions d'esprit qui lui sont liées : conflit des volontés, réflexions, actions. La gestion des émotions par la société débouche de nos jours sur un phénomène inédit : la gestion de la société par les émotions.

Nous ne sonderons pas ici les mystères de la conscience humaine, pas plus que nous n'éluciderons l'énigme de la clairvoyance qui peut frapper un individu alors que les ténèbres continuent d'obscurcir l'esprit de son voisin, pourtant placé exactement dans la même situation que lui. En revanche, nous chercherons à décrypter l'infernale mécanique qui fait régresser la collectivité sous nos yeux et qui transforme des humains maltraités par la société en bourreaux d'eux-mêmes tandis qu'elle leur octroie le droit consolateur, mais démobilisateur, de pleurer. Dans l'apitoiement vis-à-vis des miséreux, il y a en effet plus de légitimation que de remise en cause d'un ordre inégalitaire et oppressif. « Vous n'avez rien fait, j'insiste sur ce point, tant que l'ordre matériel raffermi n'a point pour base l'ordre moral consolidé ! Vous n'avez rien fait tant que le peuple souffre ! » s'exclamait Victor Hugo le 9 juillet 1849, à l'Assemblée nationale. Et le poète-député ajoutait, comme un avertissement prémonitoire : « Vous n'avez rien fait, rien fait, tant que dans cette œuvre de destruction et de ténèbres, qui se continue souterrainement, l'homme méchant a pour collaborateur fatal l'homme malheureux[16] ! » Collaborateur fatal ! Oui,

---

16. Victor Hugo, *Détruire la misère*, Assemblée nationale, 9 juillet 1849, www2.assemblee-nationale.fr/decouvrir-l-assemblee/histoire/grands-moments-d-eloquence/victor-hugo-9-juillet-1849.

car le sentimentalisme dépolitise, le misérabilisme chosifie l'être humain, les larmes peuvent unir les victimes à leurs bourreaux dans la perpétuation des injustices sociales. Ce jour de 1849, Hugo a tracé une ligne de démarcation entre ceux qui s'arment de volonté et ceux qui préfèrent demeurer des spectateurs en marge tandis qu'une larme chaude coule sur leur joue. Comme le rappelle André Bellon, auteur de *Ceci n'est pas une dictature*[17], il « se mit en marge de la classe dirigeante à laquelle il appartenait jusque-là. Il avait, en effet, franchi le pas qui sépare la commisération de la lutte en affirmant qu'il ne souhaitait pas aider les miséreux, mais détruire la misère[18] ». Et d'ajouter : « Pourquoi cette distinction serait-elle moins pertinente aujourd'hui ? »

Dans le règne de l'émotion, on discerne effectivement quelque chose comme un désarmement de la volonté qui est aussi un renoncement de l'Homme à lui-même, et dont les ressorts méritent décryptage et déminage. C'est finalement une certaine idée de la civilisation qui se donne ici à voir : ses ambitions, ses lâchetés, mais aussi ses mystérieuses capacités de sursaut.

---

17. André Bellon, *Ceci n'est pas une dictature*, Paris, Fayard, 2011.

18. André Bellon, « De l'homme libre à la victime », *République !*, 27 août 2007.

Chapitre 1

Extension du domaine
de la larme

« Jonathann Daval ou la compassion trahie », titre le quotidien français *Le Monde* ce jeudi 1er février 2018. On vient alors d'apprendre que le meurtrier de la joggeuse Alexia Daval, dont le corps calciné a été retrouvé quelques mois plus tôt dans une forêt près de Besançon, n'est autre que son époux. Les images d'archives de celui-ci, en larmes, la voix étranglée par l'émotion, tournent en boucle sur les réseaux sociaux et les chaînes de télévision françaises. Comment ce veuf éploré peut-il être celui qui a porté les coups fatals à sa jeune épouse? Les voisins, les habitants de Gray (un village en Haute-Saône), ont cheminé derrière ce jeune homme, dont le chagrin semblait inextinguible, lors d'une marche blanche en hommage à la victime. Les médias ont suivi, jour après jour, le déroulement de l'enquête, en diffusant, avec la régularité d'un piano mécanique, les images de la famille endeuillée et de Jonathann Daval, trop ému pour s'exprimer, ravagé par la douleur. Quelques mois plus tard, ses aveux font l'effet d'une bombe, plongeant les médias, les parents et les villageois dans la stupeur sous l'œil interloqué du pays tout entier[1].

En évoquant une «compassion trahie», le journal français de référence résume bien la grande confusion qui règne de plus en plus dans les esprits : l'émotion occupe tout l'espace, elle clôt les questionnements, érige une barrière devant la réflexion, empêche la pensée ; dans le cas présent, la «compassion» – qui a été «trahie» au même titre que pourrait l'être la «confiance» – revient à la considérer comme une forme d'action ; faire preuve d'empathie serait presque un geste civique. Dans le jeu social actuel, on se fie à la larme pour apprécier une situation, pour prendre parti, pour se positionner vis-à-vis des autres. Les exemples de ce mode d'appréhension du réel abondent. La relation au monde, quelle que soit l'activité concernée, se soumet à l'empire de l'émotion. La gestion sociale de l'émotion est devenue la gestion de la société par l'émotion. Première victime de ce phénomène : le bon sens. Ainsi, dans l'affaire Daval, un homme en larmes, parce que c'est le signe d'une souffrance, n'a pas pu commettre l'irréparable. Un mari qui pleure sa femme ne peut qu'être sincère. Les plus âgés se souviennent pourtant du lieutenant Columbo, régulièrement confronté à des conjoints meurtriers et ô combien habiles à dissimuler leurs véritables sentiments. La littérature policière regorge de ces hypocrisies qui font les intrigues bien ficelées et pétries de rebondissements. Dans l'affaire Daval, les habitants du village des protagonistes se sentent d'autant plus floués qu'ils ont été

---

1. En juillet 2018, juste avant que le livre parte à l'impression, monsieur Daval revient sur ses aveux dans un nouveau coup de théâtre et accuse désormais son beau-frère.

embarqués sur le navire émotionnel, immédiatement après la découverte du corps de la victime : dépôt de gerbes de fleurs, déploiement de bataillons de reporters compatissants, témoignages émouvants recueillis devant les caméras, marche blanche. Les journalistes ont alimenté ce torrent de bons sentiments par des gros plans appuyés sur les visages défigurés par la peine et des articles décrivant dans toute son ampleur la souffrance de l'entourage. Le traitement des faits divers tragiques obéit souvent à ce type de scénario dominé par l'émoi collectif et sa mise en valeur par les observateurs.

Ce schéma, désormais traditionnel, heurte ici par la présence de l'assassin à toutes les étapes du processus compassionnel. « L'émoi sera considérable à Gray où beaucoup l'ont soutenu », remarque, pensive et inquiète, Edwige Roux-Morizot, procureure de la République après avoir rendu publics les aveux de Jonathann Daval. Pourtant, comme le rappelle enfin *Le Monde*, les exemples ne manquent pas dans l'histoire de meurtriers qui participent aux recherches du corps, qui relatent des anecdotes valorisantes pour la victime dans les journaux en soulignant leur étonnement et leur empathie devant le drame de sa disparition. Mais, si le phénomène des assassins dissimulés dans la foule est ancien, c'est l'incapacité collective à l'intégrer dans les sociétés d'aujourd'hui qui intrigue. Il est possible que l'esprit d'un observateur isolé, surtout s'il se souvient du lieutenant Columbo, soit fugacement traversé par l'impensable : la culpabilité du veuf éploré. Mais les médias et les mouvements de foule semblent, eux, fonctionner de manière binaire. L'emballement émotionnel empêche d'imaginer des hypothèses décalées. La grille lacrymale ne peut qu'être manichéenne, jusqu'à l'absurde, jusqu'à la négation des évidences.

L'affaire Daval fonctionne comme le miroir grossissant d'un phénomène qui semble se répandre à l'infini : l'extension du domaine de la larme à des événements ou des activités qui devraient *a priori* faire – également, mais pas forcément exclusivement – appel à d'autres modes de lecture du réel (réflexion, bon sens, esprit critique). Cela conduit à des engouements incontrôlés et à des erreurs d'appréciation parce que la faculté de jugement est absorbée par la tristesse (pour la victime), la compassion (pour son mari) ou la colère (contre une mort injuste).

De telles fausses routes sont encouragées lorsque l'empire de l'émotion se met même en scène. On le voit avec les marches blanches, qui fonctionnent comme une théâtralisation des sentiments, souvent réels, mais codifiés et exposés de manière démonstrative.

MARCHES BLANCHES

L'un des symboles les plus visibles de l'invasion de l'espace public par l'émotion réside dans le phénomène grandissant des marches blanches. La plupart du temps spontanées, elles rassemblent des foules parfois immenses à l'échelle des villes et des villages où elles se déroulent, à l'occasion d'un accident ou d'un crime particulièrement odieux. La première de ces manifestations eut lieu en 1996 en Belgique lors de l'arrestation du pédophile Marc Dutroux, qui avait enlevé, violenté et assassiné deux fillettes. Ces marches sont dites « blanches », car elles renvoient à la non-violence, à la pureté et à l'idéal de paix. Elles expriment l'indignation face à des violences aussi insupportables qu'incompréhensibles. Elles sont d'abord dues au choc provoqué par l'événement. Les marcheurs revêtent souvent des habits blancs, tiennent des fleurs blanches dans leurs mains, brandissent des ballons blancs... Un tee-shirt, arborant la photo de la victime, a été imprimé en toute hâte et distribué en un temps record aux participants qui peuvent alors s'ébranler en groupe dans les rues. La manifestation peut se terminer par des discours, où les mérites de la victime sont rappelés, et un dépôt de gerbe devant son domicile. Cette codification a pour objet de fixer des repères aux populations tout en indiquant clairement le périmètre d'expression : les sentiments et leur externalisation. Ce faisant, on tient volontairement à distance la compréhension, le jugement, la revendication. Il s'agit plutôt de communier dans la douleur par l'extériorisation de la tristesse et l'organisation de sa visibilité publique.

Les marches belges de 1996 comportaient une dimension politique : elles dénonçaient silencieusement l'incroyable incurie de la police qui avait perquisitionné la maison de Dutroux sans penser à regarder dans la cave. À l'exception peut-être de la marche contre l'antisémitisme à l'occasion du meurtre de Mireille Knoll en mars 2018 à Paris, le phénomène est désormais volontairement neutre du point de vue politique, purement axé sur l'hommage rendu à la victime. Aucun slogan, aucune pétition n'accompagnent les marches blanches. On est loin des mouvements syndicaux qui donnent un sens en formulant des critiques et des propositions en réaction à une situation. Rien à voir non plus avec les rondes hebdomadaires des « Mères de la place de Mai » en Argentine, qui exigent depuis 1977 la justice pour leurs enfants disparus durant la dictature. Lors des marches blanches, des foules délibérément mutiques s'ébranlent, plaçant souvent en tête de cortège des enfants, symboles d'innocence et de foi dans l'avenir, portant des bougies. Les proches ouvrent généralement le chemin sur lequel les suivent parfois les édiles locaux (le maire ou des représentants du conseil municipal). Les commerçants ferment boutique, abaissent les rideaux de fer, se joignent au mouvement : une véritable opération ville-morte, toujours sans revendication ; simplement le souvenir et le respect dû à la victime et la solidarité exprimée envers la famille. Tout cela se déroule sans porter atteinte à l'ordre public. L'observation de ce type de mouvement, où qu'il ait lieu, confirme que la marche blanche obéit au même rituel ; elle est balisée d'étapes obligées. Il est presque impensable aujourd'hui qu'un fait divers tragique ne soit pas accompagné d'une telle manifestation. En juillet 2016, à la Courneuve (banlieue de Paris), une telle manifestation a même été organisée en l'honneur d'un chien tué par la police[2]…

L'expression publique du chagrin n'est pas une chose naturelle à toutes les sociétés ; elle a pu varier au fil de l'histoire. On pense aux pleureuses de certains pays africains ou en Sicile, qui suivent, parfois contre rémunération, les cortèges funéraires des personnalités. On pense aussi, dans certaines sociétés latines, aux larmes versées sans retenue et sans honte, devant tout le monde, par les mères touchées par un drame comme la perte d'un enfant. Toutes ces traditions sont respectables. Mais il existe également, dans les sociétés bourgeoises occidentales, une autre coutume, caractérisée par une forme de sobriété, de maîtrise de soi. Le chagrin s'exprime alors par des marques discrètes de soutien et de respect à la famille qui, elle-même,

---

2. Floriane Louison, « La Courneuve : tensions après la mort du chien abattu par la police », *Le Parisien*, 31 juillet 2016.

conserve une retenue publique : un petit mot dans la boîte aux lettres des parents de la victime, une visite de courtoisie quelques jours après les funérailles, un bref coup de fil, etc.

La marche blanche vient rompre le rituel de la culture bourgeoise dominante. Évidemment, probablement saisis d'un doute fugitif, leurs organisateurs et les commentateurs soulignent abondamment la « dignité » du cortège lacrymal. Le mouvement se présente alors comme à la fois émouvant et digne. Il n'en demeure pas moins que la démonstration sur la voie publique, une pratique qui se répand de nos jours, participe évidemment d'une certaine sensibilité sociale, nouvelle également dans son expression. Le phénomène des marches blanches commence seulement à être analysé par les sociologues et les philosophes. Il donne une indication sur l'état des sociétés occidentales, les fractures qui les traversent et le désarroi des populations.

Le philosophe Christophe Godin y voit ainsi l'expression d'une « crise de société ». « Il faut toujours faire preuve de prudence quand on évoque un phénomène social dont les causes sont multiples et parfois contradictoires, et éviter les justifications simplistes, explique-t-il. Mais ce qui me semble central dans la marche blanche est l'empire des émotions. Les médias d'aujourd'hui, la télévision, en jouent beaucoup[3]. » La manifestation publique vient donner un écho considérable à l'émotion qui domine le processus. Le phénomène, très personnalisé, met en jeu un mécanisme d'identification et de proximité : on s'identifie à une victime que l'on connaît ou qui est connue

---

3. Christophe Godin, « La marche blanche, un phénomène de société », *L'Obs*, 26 avril 2015.

dans un périmètre proche; on arbore son visage sur une pancarte ou un tee-shirt (ce n'est pas un anonyme). «Cela aurait pu être moi», répètent significativement les personnes interrogées à propos d'un fait divers tragique ou criminel. On trouve ici, au passage, une manifestation du narcissisme contemporain qui transforme le «Rien de ce qui est humain ne m'est étranger» de Térence en «Rien de ce qui m'est étranger n'est humain»... L'identification irrigue le mouvement de sympathie qui anime les participants. «On s'identifie toujours à des personnes ou des groupes de personnes choisies», note encore Godin. «Un crime sans criminel immédiatement repérable n'a pas la même portée. D'où le fait qu'il n'y aura vraisemblablement pas de marche blanche pour les milliers de migrants morts engloutis en Méditerranée.»

On se trouve sur le registre de l'immédiateté, de la proximité et du sentiment. Il ne s'agit pas de comprendre tel ou tel phénomène ayant conduit au drame et encore moins de dénoncer quelque chose; il s'agit surtout et simplement de manifester une compassion et de partager l'émotion avec d'autres personnes *a priori* touchées par les mêmes événements et affectées de la même manière. «Exprimer la douleur ensemble constitue un puissant exutoire, une opportunité de retisser du lien social, de reconstituer et renforcer la communauté amenée à faire front face à l'impensable. En cela ce type de manifestation évoque les processions du temps jadis qui visaient à protéger le groupe[4].» Ces moments émotionnels ne sont en effet pas sans rappeler les

---

4. Assurance obsèques, «La marche blanche: une manifestation de deuil à double tranchant», s. d., www.lassurance-obseques.fr/marche-blanche-manifestation-de-deuil-a-double-tranchant.

processions du Moyen Âge où l'on pensait conjurer le sort (la pluie sur les récoltes, la famine meurtrière, l'épidémie qui se répand) en en appelant à Dieu. On peut y voir quelque chose d'un peu magique, comme si la marche pouvait conjurer un malheur, lui donner une signification. L'émotion prend ici, littéralement, la place de la raison en ce sens qu'elle a précisément pour objet de « faire sens ». Par conséquent, un certain fatalisme peut imprégner la démarche, puisque la recherche des explications s'efface au profit de l'expression d'une douleur. Il existe certes des variantes puisque, par exemple, un accident de train peut conduire, après la marche blanche ou en marge de celle-ci, à la mise en cause de la société de transport et de ses dirigeants, comme des autorités municipales ou autres qui n'ont pas assuré la sécurité des voies publiques. Dans le contexte de sociétés gangrenées par les inégalités sociales, menacées par la violence et parfois sévèrement meurtries par elle (attentats, fusillades dans les établissements scolaires), fracturées, marquées par la solitude et la dislocation du lien social, la marche blanche vient refaire corps ; elle contribue, brièvement, à rebâtir une société sur des bases infrapolitiques, émotionnelles, et donc fragiles, temporaires. Les marches blanches n'ont aucune conséquence pratique : la justice demeure sans moyens, la société continue de se décomposer. Aucune réflexion politique n'en découle. C'est pourquoi leur attention se limite à un seul type d'objet. D'ailleurs, on n'a encore répertorié aucune marche blanche pour le suicide d'un chômeur ou l'assassinat d'un inspecteur du travail. Il s'agit d'un mouvement ostensiblement infrapolitique qui assume son caractère à la fois démonstratif et inoffensif.

On peut ainsi s'interroger sur la dimension « contrôle social » de la marche blanche : les citoyens expriment leur émotion sans troubler l'ordre public. C'est pourquoi il est sans doute très difficile de s'abstraire du mouvement. Toute souffrance a certes besoin de reconnaissance et la sincérité des sentiments ainsi étalés peut difficilement être contestée (à l'exception de ceux de l'assassin… encore que). Mais imagine-t-on un voisin demeurant ostentatoirement chez lui, un commerçant refuser de baisser le rideau de son magasin, un habitant du village partant à son cours de yoga pendant la marche? Est-il possible de ne pas prendre part au mouvement? Peut-on penser que, dans la foule, tous éprouvent le même degré de compassion, le même chagrin?

Psychologie de secours

L'extension progressive du domaine de l'émotion se donne aussi à voir dans le traitement psychologisant des événements en lieu et place des analyses politiques, sociales ou économiques. L'affaire Cahuzac en fournit un bon exemple. Le ministre français du Budget, Jérôme Cahuzac, accusé de dissimuler des comptes privés dans des paradis fiscaux, a nié les faits avec aplomb devant les députés dans l'enceinte même de l'Assemblée nationale et, apparemment, lors d'un entretien particulier avec le président François Hollande. Confronté à l'évidence (il sera d'ailleurs condamné en première instance en 2016 avant d'interjeter appel), il dut démissionner avec fracas en mars 2013, provoquant la stupeur des observateurs et de la population. Il faut dire que les médias avaient longtemps soutenu Cahuzac malgré les révélations de *Mediapart*. Mais point de mea-culpa ou de réflexion sur l'évasion fiscale de part et d'autre. Les chaînes de télévision et les grands journaux préfèrent s'adresser à des… psychologues! On demande à ces spécialistes des tourments de l'âme d'expliquer le mensonge éhonté de celui qui aurait dû être un serviteur désintéressé de l'État. Des psychologues? Pourquoi pas des astrologues? «Psychologiser» les débats politiques, en l'occurrence celui de la fraude et des paradis fiscaux, devient une ficelle de journalistes en mal d'exigence professionnelle. En effet, n'est-il pas tout à fait logique que l'auteur d'un délit de cette envergure, surtout dans la position officielle qui est la sienne, tente de cacher sa faute? Les médias nous feraient presque pleurer sur les souffrances intimes de Cahuzac! Est-ce vraiment faire avancer le débat public sur la fiscalité, les injustices sociales et les paradis fiscaux?

L'individualisation, la dépolitisation et le narcissisme (des acteurs et des commentateurs notamment) prennent ici toute leur ampleur au détriment de la pensée. Le projecteur psychologique efface au passage, ou relègue au second plan, les autres grilles d'analyses des phénomènes sociaux, comme les inégalités ou les injustices économiques. On le voit aussi lors de catastrophes naturelles, d'accidents ou de faits divers tragiques. Les commentaires médiatiques insistent toujours abondamment sur le déploiement, souvent spectaculairement mis en scène, d'une cellule psychologique, comme si cela constituait l'élément majeur, central de la réponse aux événements. Les autres aspects retiennent moins l'attention, comme le rôle de la prévention, l'enchaînement des décisions qui ont conduit ou non à l'organiser et le fonctionnement même de la société: en dehors des moments où l'on réagit à un fait dramatique, comment se noue ou se dénoue le lien social, comment se développent les relations humaines et selon quelles valeurs?

La pratique des cellules psychologiques vient de la méde-
cine de guerre, notamment du traitement des névroses qui
peuvent frapper les combattants. Elle s'adresse par extension
au groupe de personnes victimes d'un stress post-traumatique
ainsi qu'aux sauveteurs qui interviennent sur les lieux d'une
catastrophe, d'un accident ou d'un attentat. En France, note la
journaliste Catherine Fournier, elles ont été systématisées
«depuis 1995 et les attentats du RER B. À la demande de
Jacques Chirac, Xavier Emmanuelli, secrétaire d'État à l'action
humanitaire d'urgence, a créé les cellules d'urgence médico-
psychologiques (Cump), avec l'aide de Louis Crocq, spécialiste
des névroses de guerre». Depuis quelques années, des cellules
sont également mises en place lors d'événements dramatiques,
comme le crime particulièrement odieux du «dépeceur» Luka
Rocco Magnotta qui, en 2012, a envoyé des colis contenant les
restes de sa victime. Mais il peut aussi s'agir d'un «simple»
accident de car impliquant des collégiens à Millas en 2017. Des
événements très divers peuvent faire l'objet d'une prise en
charge psychologique formatée et organisée: accident funeste,
meurtre, suicide, agression physique violente, incendie, crime
sexuel... À Liège, en septembre 2017, après qu'une mère eut
avoué avoir tué son fils de 11 ans à coups de hache, une cellule
psychologique fut ainsi mise en place pour les témoins de ce
drame, les voisins comme les policiers. Le but est ici non seulement de prévenir et de traiter les troubles traumatiques, mais
d'éviter des perturbations dans le fonctionnement, par exemple, d'un établissement scolaire. Il s'agit de canaliser un trouble
potentiel, d'empêcher un dérangement de l'ordre public. Cela
relève d'un mouvement de contrôle de la société sur elle-
même, presque d'un mode de gestion sociale.

Mais parfois, la mise en place d'une cellule psychologique est… préventive, en l'absence de tout événement potentiellement traumatique. Ainsi le collège Marie de France de Montréal indique-t-il sur la page d'accueil de son site internet qu'«en plus du CPE (conseiller principal d'éducation) ou du conseiller de niveau, l'élève de niveau secondaire ou collégial peut consulter une intervenante sociale et une conseillère en orientation, ainsi qu'une cellule psychologique s'il a besoin d'aide et de conseils[5]». On peut s'interroger sur le caractère presque automatique du déploiement de ce type de cellule qui part, finalement, de l'apriori du risque traumatique sur des populations parfois très vastes, comme les élèves d'un établissement scolaire. Des dizaines ou des centaines d'individus peuvent ainsi être concernés quand la notion de traumatisme est, au départ, individuelle, liée à une personne. En principe, l'atteinte potentielle est limitée aux proches, à ceux qui vivent dans le périmètre restreint de l'identification. N'assiste-t-on pas à une forme de socialisation de l'événement déclencheur et de son impact sur les esprits? On transforme peut-être un souci individuel en souci collectif par une logique de formatage et de canalisation. Ne se trouve-t-on pas ici dans une logique de traitement d'emblée psychologique qui a davantage à voir avec l'état de la société qu'avec le risque traumatique? On devient plus sensible au choc émotionnel, «au trauma, oui», analyse ainsi le philosophe Jean-Jacques Courtine, auteur d'une *Histoire des émotions*. «Maintenant, vous avez des cellules psychologiques dès qu'il se passe quelque chose. Il y a ce sentiment qu'il

---

5. Collège international Marie de France, «Vie scolaire», s. d., www.cimf.ca/vie-scolaire.

faut un soutien immédiat, que les émotions sont à prendre en compte, qu'il y a quelque chose à guérir de ce côté-là[6]. »

On ne mesure pas toujours les effets pervers de ces démonstrations d'attention sans doute bien intentionnées. Ne risquet-on pas, paradoxalement, d'accroître le traumatisme ou de l'étendre à des personnes qui n'en auraient pas été affectées si les projecteurs n'avaient pas été braqués sur cet aspect des événements ? Telle institutrice note par exemple le traumatisme causé à des élèves de classes maternelles après l'intervention dans l'établissement d'agents publics censés les préparer à l'intrusion d'un terroriste. La « psychologisation » des relations en société se déploie également dans le phénomène des « *sensitivity readers* » et autres « *safe spaces* » en Amérique du Nord. Là encore, l'émotion devient une unité de mesure de ce qui peut ou doit être dit, en lieu et place des outils du débat raisonné.

SENSITIVITY READERS

L'importance accordée aux émotions peut modifier les rapports sociaux et la manière dont s'organise le débat public. En Amérique du Nord, le risque de « blesser la sensibilité » d'un interlocuteur peut conduire à interrompre une discussion, une conférence ou une réunion publique. On invoque le « tact », la « bienséance », la nécessité d'éviter tout « malaise » ou toute « offense affective », le devoir de respecter le « senti » ou le « ressenti ». Certaines associations ou universités prévoient même des mécanismes d'alerte qui permettent de signaler rapidement

---

6. Entretien avec Courtine par Émilie Brouze, « "L'émotion est une force politique, elle peut être manipulée" », *L'Obs*, 26 décembre 2017.

que tel ou tel propos peut heurter une partie de l'assistance. Les universités nord-américaines peuvent dorénavant prévoir ce qu'on appelle des « *safe spaces* » (espaces sécurisés) où sont proscrits les propos ou comportements qui peuvent choquer, notamment parce qu'ils véhiculeraient des préjugés ethniques ou sexuels. Il suffit d'invoquer l'inconfort provoqué par un désaccord pour faire cesser l'échange. Ce faisant, les promoteurs de ces lieux évacuent toute contradiction, toute possibilité de débat ou de confrontation à l'autre ; ils favorisent des formes de replis en petits groupes réconfortants. Le développement des *safe spaces* questionne la nature et le rôle des universités qui doivent être des lieux d'apprentissage du savoir, indissociables d'une mise à l'épreuve des certitudes et de la vie en collectivité, par essence porteuse de différends. Fragmenter l'espace social en silos ne correspond pas, de toute évidence, à cet objectif. Invoquer le risque d'être offensé par un propos, tirer la sonnette d'alarme, peut également s'apparenter à une forme de censure, car cela limite *de facto* ce qui peut être dit. S'inquiétant de ces évolutions qui remettent en cause les « libertés académiques », Timothy Garton Ash rappelle que « la liberté d'expression est le fluide vital d'une université [...], ce qui signifie qu'inévitablement [ses] membres seront confrontés à des vues qui les déstabilisent, qu'ils trouveront extrêmes ou choquantes. C'est pourquoi la liberté d'expression doit s'accompagner d'un effort de civilité ». Et il ajoute : « [C]ela peut paraître évident, mais nous vivons une époque où il est nécessaire de le rappeler[7]. » Qui plus est, ne s'engage-t-on pas ici sur

---

7. Timothy Garton Ash, « Safe Spaces Are Not the Only Threat to Free Speech », *The Guardian*, 16 septembre 2016.

une pente savonneuse : le désir d'en finir avec les circonstances offensantes devenant peu à peu l'occasion d'en débusquer chaque jour davantage ?

Aux États-Unis, certains éditeurs, notamment de littérature pour la jeunesse, embauchent désormais des *sensitivity readers*, des personnes dont la tâche est de lire les manuscrits, détecter ce qui peut heurter et suggérer à l'auteur les modifications nécessaires. L'attention se trouve naturellement portée sur les questions raciales, le genre et le sexe, la religion, mais aussi les maladies chroniques et les handicaps physiques et mentaux. Alexandra Alter, du *New York Times*, souligne l'impact que ces mécanismes ont sur le contenu des œuvres, remodelant les scénarios, les ajustant d'une manière parfaitement subjective. Elle s'interroge sur une forme de censure[8]. L'enquête de la journaliste pointe le risque d'aseptiser les récits, de standardiser une littérature qui ne prendrait plus aucun risque, ce qui est en principe – soit dit en passant – le rôle de la culture. C'est aussi la capacité de l'écrivain à représenter librement le monde qui peut ainsi disparaître sous le rabot des relecteurs.

Si on comprend le souci du respect d'autrui et de ses convictions, ce type de contrôle conduit rapidement à des impasses. L'invocation de la sensibilité se révélant en effet éminemment subjective, le débat devient tout simplement impossible. En outre, l'essence même de la vie sociale réside dans la possibilité de se confronter à l'inattendu, à l'inconnu, à la différence des idées, des opinions et... des sensibilités. C'est précisément la

---

8. Alexandra Alter, « In an Era of Online Outrage, Do Sensitivity Readers Result in Better Books, or Censorship? », *The New York Times*, 24 décembre 2017.

rencontre, voire la confrontation, de ces sphères qui constitue la richesse d'une société démocratique et qui lui permet d'avancer. La logique de ces pratiques poussée à son terme conduit à des formes de cloisonnement et, *in fine*, d'assignation identitaire. «Ne doit-on plus lire *Othello* parce que Shakespeare n'était pas noir?» s'interroge ainsi la romancière Francine Prose[9].

Les partisans des *sensitivity readers* se défendent de toute censure et invoquent le besoin de lutter contre les stéréotypes et une mauvaise représentation de la réalité qui conduiraient à la stigmatisation de certaines populations (comme les handicapés victimes de préjugés tenaces) ou à la minimisation de certains crimes (comme l'esclavage). Alexandra Alter donne plusieurs exemples de ce filtrage des œuvres, concernant notamment des récits incluant des Afro-Américains. La lutte contre le racisme est une évidente nécessité, mais qui définit la bonne manière d'exposer ce crime et de porter la cause des Afro-Américains discriminés? Les *sensitivity readers* afroaméricains? Mais lesquels? Vont-ils développer les mêmes visions suivant leur origine sociale ou leurs convictions politiques ou religieuses?

Ne s'achemine-t-on pas ainsi vers des visions officielles contrôlées, négociées, quantifiées de telle ou telle cause qui ne sauraient donc souffrir de variantes? La représentation d'un combat devrait forcément se conformer à tel ou tel critère, entrer dans tel ou tel cadre. Les polémiques entre féministes sur la signification du mouvement #balancetonporc montrent que rien n'est figé, même entre personnes tout animées du

---

9. Francine Prose, «The Problem With "Problematic"», *The New York Review of Books*, 1ᵉʳ novembre 2017.

désir de combattre les violences faites aux femmes. Une démonstration spectaculaire de ces contradictions fut donnée sur un plateau de télévision française par l'altercation entre deux femmes (l'écrivain Christine Angot et la militante écologiste Sandrine Rousseau), également victimes d'agression sexuelle, et qui ne s'accordaient pas sur la manière de rendre justice et de faire cesser les comportements dégradants envers les femmes[10]. On voit ici comment l'empire de l'émotion conduit à survaloriser des témoignages certes vrais, mais dont les éléments factuels peuvent néanmoins faire l'objet d'une interprétation, voire d'un ressenti, contradictoire. C'est toute la question posée à la société par la mémoire dont on fait un élément central de décryptage de l'histoire, comme l'illustre l'engouement pour le « devoir de mémoire ».

DEVOIR DE MÉMOIRE

Les mêmes interrogations sur le formatage du débat public au nom de la sensibilité peuvent être formulées à propos de la notion de devoir de mémoire. À l'origine, il s'agit de transmettre de génération en génération le souvenir d'événements importants de l'histoire, le temps en faisant disparaître progressivement les témoins, acteurs et victimes. Rappeler sans cesse le passé se révèle d'autant plus important lorsque des mouvements négationnistes tentent de relativiser des faits, voire de les effacer. C'est le cas du génocide des Juifs pendant la période nazie : des responsables politiques, la plupart du temps d'extrême droite, et des universitaires prétendent ainsi,

---

10. *On n'est pas couché*, France 2, 30 septembre 2017.

contre toute raison, que les chambres à gaz n'ont pas existé ou qu'elles constituent « un point de détail de l'histoire ». En ce sens, le « devoir de mémoire » fonctionne comme un rempart contre le mensonge, le mensonge par omission, mais aussi contre le travail naturel du temps qui efface l'empreinte des événements.

Pour autant, la question est-elle bien posée ? Se souvenir permet-il de comprendre ? D'agir sur l'avenir ? La mémoire entretenue des crimes nazis n'a jamais empêché d'autres génocides ou la perpétration d'attentats antisémites, y compris en Europe, comme l'actualité le confirme sans cesse. La mémoire peut perpétuer le passé, mais d'une manière figée : les nazis ont massacré des millions de Juifs. Voit-on le lien avec l'assassinat d'enfants juifs en France en mars 2012 par Mohamed Merah ? Fait-on le parallèle avec des Hutus exterminant les Tutsis ? Les images et les témoignages tirés des souvenirs sont bouleversants, prennent aux tripes, tirent souvent les larmes. Ils cultivent une histoire à hauteur des personnes, mais réduisent, au prétexte de retenir l'attention, les faits à leur dimension sensible. Ils n'en actionnent pas pour autant les rouages de la pensée. À cet égard, ne serait-il pas plus avisé de parler de « devoir d'histoire » ? C'est-à-dire de l'obligation de chercher, de comprendre, d'analyser les faits afin d'en percevoir les invariants et donc d'en détruire le potentiel reproductible ? Pour l'écrivain et essayiste David Rieff, le « devoir de mémoire » est un « piège » auquel il faut préférer une « histoire critique » qui étudie le « passé en soi », pas pour ce qu'il peut apporter à l'avenir, car « le passé est un autre pays[11] ». Emmener des classes d'élèves

---

11. David Rieff, *Éloge de l'oubli. Le devoir de mémoire et ses pièges*, Paris, Premier parallèle, 2018.

sur les lieux des grandes batailles ou visiter les camps de concentration ne peut produire un effet éducatif que si on accompagne ces initiatives d'un décryptage minutieux. Ce n'est pas toujours le cas, du fait précisément que la mémoire, surtout douloureuse, prend le pas sur la réflexion. Ce qui peut d'ailleurs expliquer que certains trouvent naturel de prendre des selfies à l'entrée de Dachau et que certains lieux de mémoire des plus hauts crimes sont désormais l'enjeu de véritables *tours operators*. On n'est parfois pas loin du tourisme génocidaire.

Les sociétés qui valorisent le « devoir de mémoire » sont aussi souvent celles qui coupent les crédits à la recherche universitaire ou qui réduisent les heures consacrées à l'enseignement de l'histoire dans les établissements scolaires. C'est-à-dire qu'on réduit ce qui permet d'analyser, de comprendre, y compris en assumant que l'histoire puisse faire débat. En ce qui concerne le génocide des Juifs par les nazis, tout n'a peut-être pas encore été exploré, par exemple sur l'attitude des alliés qui ont tardé à bombarder les voies de chemin de fer menant aux camps ou sur les complicités dont a bénéficié le régime d'Hitler parmi les grands chefs d'entreprise allemands. Il est beaucoup plus simple de limiter la grille d'explication à l'affrontement bourreaux/victimes sans l'étendre à la chaîne des responsabilités. Le scandale des crimes nazis mérite qu'on décrypte toute la mécanique pour identifier les risques de les voir resurgir sous d'autres formes ailleurs. Se souvenir ne doit pas empêcher de « conceptualiser » les événements afin d'être en mesure de discerner leur reproduction par d'autres bourreaux sur d'autres victimes.

L'émotion impose un mode de lecture simplificateur que résume bien la passion des témoignages. Ce faisant, le « devoir de mémoire » peut empêcher d'évoluer en tournant sans cesse le regard vers le souvenir douloureux. À partir de son expérience personnelle d'une enfance vécue pendant la Seconde Guerre mondiale, le philosophe Michel Serres souligne l'importance de l'oubli, la nécessité de pouvoir oublier. Un individu ne peut se développer si le passé le ramène toujours en arrière. Si le souvenir peut être pédagogique – « c'est l'histoire », dit Serres –, une société ne peut vivre dans l'obsession des souvenirs, surtout s'ils sont douloureux. « Ceux qui ont vécu en paix ne savent pas ce que c'est que le devoir d'oubli », affirme-t-il en soulignant que le « tsunami » de récits et romans relatant des « moments infernaux » a aussi pour fonction de rejeter hors de soi le mal que l'on décrit. Cela place ceux qui tiennent la plume du côté du bien en leur donnant la possibilité de tracer des lignes de partage entre l'acceptable et l'inacceptable. « Moi, au moins, je n'aurais pas fait ça », disent en filigrane les auteurs de ces textes. Mais, rappelle malicieusement le philosophe, la Bible est pleine de ce type de jugement et « la chanson de Roland ne nous a pas gardés de la guerre de 1914[12] ». Évidemment, l'oubli ne peut être vertueux que dans une société qui pense. Et c'est bien le souci contemporain, un certain refus de penser envahit notre monde.

Extension toujours du périmètre lacrymal : les autorités publiques occidentales semblent se passionner pour les commémorations douloureuses. La guerre de 1914-1918, par exemple, est transmise aux enfants en utilisant la souffrance des « poilus » dans les tranchées. On emmène des classes dans les musées ou sur les lieux des combats en leur faisant lire des lettres de

---

12. *Le sens de l'info*, France Info, 4 février 2018.

soldats. Il n'est pas certain qu'on leur explique au passage les causes de cette boucherie, voulue au sommet de l'État en France et en Allemagne, pour des raisons économiques, mais aussi pour trancher des conflits impérialistes en Afrique du Nord. Ceux qui voulurent empêcher la guerre, tel le socialiste français Jean Jaurès, le payèrent de leur vie. Son assassin, Raoul Villain, acquitté par un jury populaire emporté par l'émotion de la guerre, est d'ailleurs toujours innocent aux yeux du droit français. Notons que les républicains espagnols lui réglèrent son compte quelques années plus tard alors qu'il s'était exilé au sud des Pyrénées. Au Canada, la question des discriminations envers les populations autochtones a fait l'objet de déclarations lacrymales de la part du premier ministre Justin Trudeau, qui a officiellement demandé pardon pour les crimes commis. Cela peut-il compenser des années de brimades et de violences ? Sans compter qu'il s'agit sans doute là d'une manière de clore le débat, de faire taire tout le monde, les uns parce qu'on leur a donné raison, les autres parce qu'on les a déclarés coupables.

À côté des célébrations traditionnelles d'événements glorieux, les sociétés occidentales semblent saisies d'obsessions mémorielles, toutes plus sinistres les unes que les autres, toutes plus doloristes les unes que les autres : les crimes de la colonisation occidentale, ceux de l'esclavage en Amérique du Nord, etc. Ces mouvements aboutissent parfois à vouloir déboulonner des statues : celle de Christophe Colomb à New York, celles des généraux confédérés dans le sud des États-Unis, celles de Colbert en France, etc. La mémoire vient ici fracasser l'histoire, car elle est sélective (Colbert est aussi un grand serviteur de l'État en France), mais aussi parce qu'elle réécrit le passé à l'aune du présent, dans un anachronisme assumé et militant. Si elle réécrit le passé à l'aune du présent, c'est en effet trop souvent pour se donner l'illusion de trancher les contradictions du présent dans le passé. Pourtant, l'histoire n'a pas pour fonction de réparer les blessures du présent. En jugeant le passé au lieu de le décortiquer, ne commet-on pas une erreur philosophique? Selon Michel Serres, il faut «séparer l'histoire et le tribunal». Ne vaudrait-il pas mieux expliquer, accompagner les monuments de textes éclairant les événements, mettant en perspective les actes des personnages? Une telle démarche ne serait-elle pas plus constructive, plus juste et plus apaisante?

Le dolorisme ambiant promeut une mémoire victimaire qui met les passés en concurrence les uns avec les autres. Pour David Rieff, «la mémoire collective est alors de plus en plus difficile», car ces «souvenirs divisent plus qu'ils n'unissent[13]». Or, dans des sociétés menacées de dislocation, ne faudrait-il pas mettre également l'accent sur les commémorations qui unissent, qui rassemblent autour d'événements positifs? Il est frappant, en France, que la révolution de 1789 qui a apporté la Déclaration des droits de l'homme et du citoyen, le suffrage universel, la souveraineté populaire, soit de plus en plus présentée sous ses jours les plus sombres, comme la Terreur ou la guerre de Vendée? Beaucoup de sociétés européennes s'interrogent sur la manière d'intégrer les populations d'origine étrangère. C'est assurément une bonne chose, mais comment pense-t-on donner le goût de s'intégrer à une société qui s'auto-dénigre, rumine et ressasse ses propres crimes, sans en rappeler les qualités? Une société doloriste et pleurnicharde obsédée par le passé et, de ce fait, incapable de se projeter dans l'avenir

---

13. *Une semaine d'actualité*, Radio France Internationale, 24 février 2018.

peut-elle susciter l'envie d'être ensemble? À quoi prétend-elle intégrer qui que ce soit? Cette attitude génère en retour des mouvements qui, à toute force, peignent en rose l'histoire nationale au complet: ils présentent par exemple la colonisation de manière irénique en effaçant sa nature impérialiste et prédatrice. La mémoire caricature, simplifie, autobloque la société qui ne parvient plus à se penser.

En mélangeant constamment un passé revisité et une société sans repères, ne s'installe-t-on pas dans un anachronisme permanent qui prive, par ailleurs, de la capacité à regarder vraiment autour de soi? Et quand, un mouchoir à la main, on juge le passé lointain tranquillement assis dans de confortables fauteuils, qui dit que nous ne serons pas un jour sévèrement jugés à notre tour par des gens qui ne sauront rien de nous? Un soir que nous dînions à la terrasse d'un petit restaurant de New York, un ami me fit remarquer, en désignant un sans-abri affalé sur le trottoir à quelques mètres de nous: «Qui sait si les générations futures ne trouveront pas barbare de manger ainsi tranquillement à côté d'une personne qui a le ventre vide?» Faudra-t-il alors brûler mes livres?

CHAPITRE 2

DES MÉDIAS ULTRA-SENSIBLES

« QUATRE-VINGT ANS D'ÉMOTIONS! 80 ans de Radio-
Canada!» proclame fièrement le site de la société
nationale de radio et de télédiffusion canadienne créée en
1936. «À l'occasion du 80ᵉ anniversaire de Radio-Canada, le
secteur Médiathèque et Archives a réalisé une vidéo afin de
célébrer la richesse de notre patrimoine audiovisuel», annonce-
t-on encore. On aurait pu célébrer «80 ans d'événements» ou
«80 ans d'histoire en direct» ou, soyons audacieux pour un
média, «80 ans de faits vérifiés et recoupés selon les règles du
métier». Le choix porté sur l'émotion révèle une priorité de
communication. Il est symptomatique d'une relation au public
et d'un traitement global de l'information qui fait appel à la
sensibilité et aux sentiments plutôt qu'au décryptage et à l'analyse des faits. Mais au-delà de Radio-Canada, qui fait partie des
médias respectés de ce monde, il suffit de taper, dans la fenêtre
d'un moteur de recherche, le nom de n'importe quel grand
journal ou chaîne de télévision en y ajoutant le mot «émotion»
pour voir défiler une infinité de nouvelles incongrues et dispa-
rates : remise d'un trophée à une équipe sportive, inauguration

d'une maison de retraite, décès d'une personnalité, disparition d'un enfant, lancement d'un navire, ouverture d'un salon de produits ménagers, etc.

On peut affiner en recherchant l'expression «l'émotion est grande» pour mesurer à quel point cette formule est galvaudée. Dans la période récente, marquée par un grand bouleversement géopolitique et l'irruption d'une violence parfois sauvage au cœur des sociétés démocratiques, l'expression sert à rendre compte de nouvelles hétéroclites, allant du plus banal fait divers aux crimes achevés que constituent les attentats qui ensanglantent l'actualité, de Paris à Beyrouth, en passant par Nairobi ou New York. Ainsi «l'émotion est grande» dans le monde après les attaques du 13 novembre à Paris, elle était «vive» (variante) à l'Université Laval après l'attentat meurtrier de Québec[1], mais elle l'est aussi après la mort de deux cheminots dans le village belge de Morlanwelz le 28 novembre 2017. Elle frappe également les foules après le décès du chanteur Johnny Hallyday[2], à Petit-Palais-et-Cornemps après l'accident de bus qui a coûté la vie à 43 personnes[3], à Calais lors de la démolition des bâtiments du vieil hôpital[4], ou encore à Épinac, ville d'où est originaire Claudia Priest, enlevée en Centrafrique au début de l'année 2015[5]; elle

---

1. Jessica Nadeau, «L'émotion est vive à l'Université Laval après l'attentat de Québec», *Le Devoir*, 1er février 2017.

2. Arnaud Moreau, «Décès de Johnny Hallyday: les hommages se multiplient dans la région», France 3 Centre-Val de Loire, 6 décembre 2017.

3. «Accident à Puisseguin: Petit-Palais-et-Cornemps, "un village décimé"», *20 Heures*, France Info, 24 octobre 2015.

4. France 3, 20 novembre 2015.

5. «Claudia Priest: l'émotion est grande à Épinac», *Le Journal de Saône-et-Loire*, 21 janvier 2015.

l'est par ailleurs «pour Brigitte, enfin locataire d'un apparte-
ment, qu'elle a pu meubler grâce aux clubs de service du Mont-
Dore[6]». On pourrait prolonger à l'infini cette liste d'exemples
qui ne traduit aucune hiérarchie autre que celle qui donne l'absolue préséance au ressenti, réel ou supposé.

Souvent placées en ouverture du journal, ces nouvelles
illustrent le tropisme émotionnel des médias qui invitent le
lecteur ou le spectateur à entrer dans l'actualité par le ressenti,
par l'écume sensible des jours. La prédominance des affects est
pleinement assumée, quitte à évacuer des éléments décisifs de
l'actualité. Par exemple, au moment où le président américain
Donald Trump reconnaissait Jérusalem comme capitale d'Israël
au mois de décembre 2017, provoquant une crise internationale majeure, les médias français n'étaient préoccupés que par
le décès du chanteur Johnny Hallyday, dont les obsèques dévo-
raient la presque totalité des antennes. Les Champs-Élysées
étaient envahis par une foule en larmes, sanctifiée par la tristesse ostentatoire des commentateurs. Sur le plan lacrymal, la
disparition d'un artiste populaire a suscité plus de consternation médiatique que les conséquences sur la vie quotidienne de
milliers, voire de millions, de Palestiniens du gage donné, sans
contrepartie, aux extrémistes israéliens. Le geste de M. Trump
peut endommager durablement tout le processus de paix au
Proche-Orient. Et pourtant, toutes les caméras et les micros
étaient tournés vers les funérailles du rocker, en présence du
président Emmanuel Macron.

Cette priorité émotionnelle est aussi la cause de l'omniprésence des faits divers, qui s'imposent au détriment d'autres

---

6. *Les Nouvelles calédoniennes*, 6 janvier 2016.

informations sans doute plus significatives pour comprendre les évolutions du monde. Ouvrir un journal télévisé sur un accident de train au lieu de rendre compte d'une crise internationale qui menace de dégénérer traduit une inversion de la hiérarchie des événements, une vision biaisée de la réalité, mais aussi de la fonction de journaliste.

INVASION DES FAITS DIVERS

La dérive lacrymale de la presse s'affiche dans les faits divers, qui barrent souvent la une de la presse imprimée et occupent l'ouverture des bulletins d'information télévisés. Selon l'association Action critique médias (Acrimed), le nombre de faits divers dans les médias français télévisés a augmenté de 73 % en dix ans[7]. Il s'agit surtout d'événements tragiques ou spectaculaires, comme des accidents ou des meurtres. Les crimes familiaux ou les assassinats d'enfants, pour odieux qu'ils soient, sont particulièrement prisés des journalistes pour leur fort potentiel émotionnel. Selon une mécanique bien huilée et grâce à des facilités de langage bien intériorisées par les commentateurs, on appelle la petite victime par son prénom afin de créer un sentiment de proximité et favoriser l'attendrissement, permettant ainsi à la compassion de se substituer à l'analyse. La diffusion de la photo accroît la capture lacrymogène des spectateurs. Lorsqu'on relate le meurtre d'un adulte, les témoignages sur celui ou celle « qui n'aurait pas dû nous quitter »

---

7. Blaise Magnin et Henri Maler, « Flambée de faits divers dans les JT depuis dix ans », Acrimed, 14 octobre 2013, www.acrimed.org/Flambee-de-faits-divers-dans-les-JT-depuis-dix-ans.

incitent les cœurs les plus endurcis à s'apitoyer. Si ces événements sont en soi tragiques, leur traitement révèle que les journalistes oublient une des règles du métier : conserver une distance par rapport aux faits afin d'en rendre compte de la manière la plus complète, la plus honnête ou objective qui soit. Le journaliste n'a pas à prendre parti (ici, pour la victime) et à alimenter une compassion forcément sélective. Ce n'est pas son rôle. En adoptant une lecture sensible des événements, la presse opte instinctivement pour ce qui apparaît le plus simple, c'est-à-dire le soutien à la partie la plus faible : la personne volée, violée, ou la famille d'un individu assassiné. Elle effectue un choix, elle fait le tri entre ceux qui sont, selon elle, dignes d'empathie, et ceux qui, au contraire, méritent l'opprobre public. Ce faisant, elle se comporte à peine mieux que les foules déchaînées qui insultent les accusés, voire les couvrent de crachats, sur le chemin qui sépare la prison du tribunal.

Un échange particulièrement emblématique de cette tendance a eu lieu entre Nicolas Demorand, animateur d'une plage d'information radiophonique très écoutée le matin, et son invité, l'avocat Éric Dupond-Moretti, sur France Inter le 4 novembre 2017. Nous sommes quelques jours après le verdict d'une affaire très médiatisée : le procès d'Abdelkader Merah, accusé de complicité dans l'assassinat d'enfants juifs à Toulouse. Le journaliste, plein d'une bonne conscience partisane peu professionnelle, reproche au défenseur d'avoir évoqué la souffrance de la mère de l'accusé, non pas parce qu'une telle évocation serait, en soi, un procédé inacceptable, mais parce qu'il s'agit d'une personne disqualifiée d'avance par le jugement médiatique. Se posant en censeur des souffrances acceptables, en gardien d'un nouvel ordre moral, il confirme que le monde des larmes ne saurait s'embarrasser des complexités de la condition humaine. Demorand va jusqu'à qualifier les propos de l'avocat d'«obscènes», donnant ainsi une intéressante définition médiatique du terme. «Ce qui est obscène, c'est de dénier le droit de cette femme à pleurer, lui répond le ténor du barreau français. Ce n'est pas une vache qui a vêlé, Monsieur. […] Que les victimes ne comprennent même pas que Merah puisse être défendu, j'en accepte l'augure, mais pas vous qui êtes un commentateur. Pas vous. Vous devez avoir du recul.» Non seulement les journalistes ne prennent pas de recul, mais ils ne souhaitent pas le faire dans ce type de situation. Pour eux, il faut, au contraire, coller à l'événement. D'où leur stupéfaction et leur pathétique rétropédalage en cas de rebondissement, comme dans l'affaire Jonathann Daval: l'émotion, qui leur servait de guide pour suivre le déroulement de l'histoire, ne leur donne plus alors aucune indication quant à la manière de la raconter. Qui a raison? Qui a tort? Le journaliste ne sait plus. Et, plus grave encore, il ne sait plus que ce n'est pas son problème, qu'il n'est pas là pour distribuer les bons points.

L'attrait croissant des médias pour les faits divers s'explique par l'apparente neutralité qu'ils véhiculent. Ce sont, comme le soulignait le sociologue Pierre Bourdieu, des «faits omnibus», c'est-à-dire «des faits pour tout le monde». Il s'agit, du moins pour nombre d'entre eux, de faits «qui ne divisent pas, qui font le consensus». Les sujets politiques ou économiques ne paraissent pas *a priori* affriolants; ils peuvent même susciter des polémiques. Un accident de train ou le meurtre d'un enfant provoquent une montée d'adrénaline en même temps qu'ils mettent tout le monde d'accord, c'est-à-dire du côté des victimes. Ce faisant, les faits divers procurent l'illusion de ressouder une société fragmentée, à l'instar des marches blanches qui leur sont parfois associées. Ils permettent de refaire corps, de se retrouver ensemble. Au passage, ils masquent les fractures qui pourraient susciter des révoltes. Ils peuvent même contribuer à faire diversion, au sens où ils dévient littéralement l'attention des lecteurs et des spectateurs. Ils les divertissent à proprement parler. D'où l'attrait pour ceux qui présentent la plus forte charge émotionnelle, car ils touchent plus rapidement la cible.

Les faits divers visent à attirer le public dans un univers médiatique de plus en plus concurrentiel, évoluant sous la pression des réseaux sociaux, en choisissant les canaux les plus faciles et les plus consensuels. Ces événements rassemblent largement et sont faciles à décrypter. Comme le notent les sociologues Blaise Magnin et Henri Maler sur le site de référence de l'association Acrimed : « Concurrence pour l'audience [...]. Mais une audience essentiellement quantitative (qui se préoccupe fort peu de la nature même de l'intérêt effectif porté aux informations) et instantanée (qui n'entend pas être renforcée sur une longue période). Dans ces conditions, l'information, pour fédérer les publics les plus larges, doit sinon les captiver, du moins éviter de les faire fuir[8]. » Ce choix médiatique relève d'une forme de facilité : on pense répondre aux souhaits du public, capter aisément l'audience, sans avoir à construire une analyse et à la transmettre à la population avec toutes les difficultés qu'un tel exercice peut poser.

---

8. *Ibid.*

Dans un monde perçu comme complexe et angoissant, le récit d'un événement malheureux simplifie la réalité entre le bien et le mal, le malheur et le bonheur ; il semble peu engageant, surtout lorsqu'il est maintenu « à hauteur d'homme », c'est-à-dire volontairement au niveau de l'empathie et de la description de ce que l'on présente comme les mystères de la « nature humaine ». Cette croyance dans une certaine impartialité du fait divers, qui mettrait chacun face à ce qu'il peut avoir de plus profondément humain, explique en partie la boulimie médiatique pour ce type d'information. « Les journaux télévisés sont devenus une succession de portraits, qu'ils soient d'actualité ou pas, il y a une constante incarnation des sujets. Et quoi de mieux qu'une victime pour susciter l'empathie ou l'indignation ? » explique la sociologue Claire Sécail (Centre national de la recherche scientifique, France)[9]. Abondant dans le même sens, les chroniqueurs judiciaires Stéphane Durand-Souffland et Pascale Robert-Diard, qui suivent depuis de nombreuses années les procès les plus spectaculaires, mais aussi ceux qui plongent dans la banalité du quotidien, se qualifient eux-mêmes de « ripailleurs d'humanité[10] ».

La force « divertissante » de l'émotion s'exprime particulièrement dans le fait divers, car il n'y a souvent rien à en retirer d'autre que lui même. Celui-ci fonctionne souvent comme une histoire autosuffisante qui ne dit pas grand-chose d'autre

---

9. Entretien avec Sécail par Claire Berthelemy, « Fait divers : entre empathie médiatique et opportunisme politique », 4 février 2016, www.limprevu. fr/droit-de-suite/fait-divers-entre-empathie-mediatique-et-opportunisme-polique.

10. Stéphane Durand-Souffland et Pascale Robert-Diard, *Jours de crime*, Paris, L'Iconoclaste, 2018.

qu'«untel a tué unetelle» ou «machin a disparu». Il ne contribue pas à élever le niveau de culture générale ou à édifier les citoyens sur le monde qui les entoure. D'ailleurs, il est souvent relaté de manière répétitive et mécanique: monsieur X avait quitté son travail à 17 heures et n'est jamais rentré chez lui; les enquêteurs ont interrogé les voisins, une battue a permis de retrouver le corps, etc. Les chaînes d'information en continu se vautrent dans les mêmes descriptions, souvent sans grand intérêt, sans la moindre distance ni la moindre mise en perspective historique, sociale ou culturelle. Partant du constat que «le temps est une denrée extrêmement rare à la télévision», Bourdieu estime que «si l'on emploie des minutes si précieuses pour dire des choses si futiles, c'est que ces choses si futiles sont en fait très importantes dans la mesure où elles cachent des choses précieuses. [...] Or en mettant l'accent sur les faits divers, en remplissant ce temps rare avec du vide, du rien ou du presque rien, on écarte les informations pertinentes que devrait posséder le citoyen pour exercer ses droits démocratiques[11]». Ici aussi, l'émotion vient donc occuper un espace qui devrait être ouvert ou laissé à d'autres modes de regard sur le réel. Utilisée comme entrée dans l'actualité, elle contribue à fragiliser la démocratie elle-même en désarmant le citoyen. Les médias agissent alors davantage comme des entreprises de «divertissement», qui divertissent l'attention des choses sérieuses, que comme des canaux diffusant des informations justifiant leur mission de défense et de promotion de la démocratie et des libertés fondamentales.

---

11. Pierre Bourdieu, *Sur la télévision*, Paris, Raisons d'Agir, 1996, p. 16-17.

CONTRÔLE SOCIAL

Les faits divers, qui relèvent généralement d'accidents du destin, contribuent à diffuser une vision fataliste du monde. Ils peuvent donc conforter les populations, surtout celles de condition modeste, dans une forme de résignation en les incitant à accepter l'injustice de leur condition. En outre, l'effroi suscité par certains faits divers occupe l'esprit, détourne d'autres préoccupations, et plus on entre dans la réalité par l'émotion, plus on se dépossède des moyens de la décrypter. En donnant à voir la part sombre de l'humanité, ils diffusent une vision pessimiste de l'homme qui incite à l'humilité et non pas à la révolte. Le prisme compassionnel participe ainsi d'un endormissement de la conscience et de la volonté. À ce titre, ils remplissent une fonction de contrôle social.

La violence inhérente à la plupart des faits divers peut par ailleurs alimenter un climat anxiogène, favorable au repli sur soi et à l'idéologie sécuritaire. Elle dissuade le spectateur ou l'auditeur de s'ouvrir au monde environnant et stimule plutôt la crainte, la méfiance, voire les préjugés. Au-delà du fait divers lui-même, son traitement est volontairement réducteur, limité à la description des événements, à leur dimension tragique et à la douleur des victimes et de leurs proches. L'analyse sociologique – sans même parler d'analyse politique – n'est jamais de saison. Aucun Roland Barthes ne sommeille chez les journalistes d'aujourd'hui! «Si ces grilles de perception des faits divers sont le produit de l'expérience pratique, du rapport à l'existence et au monde social des téléspectateurs issus des classes populaires», notent encore Magnin et Maler, «il n'en reste pas moins que les médias confortent ces visions, ne serait-ce qu'en donnant une place toujours plus grande à ce type d'informations, sans distinguer entre les faits divers qui ne méritent aucune explication particulière (il neige en hiver!) et ceux qui révèlent des problèmes sociaux et politiques qui méritent un éclairage que l'on ne peut proposer (quand on tente de le faire) en multipliant les stéréotypes».

Ces choix éditoriaux donnent, d'autre part, lieu à de navrants duplex sur les chaînes d'information en continu, où le journaliste, dépêché sur les lieux de la tragédie, répète en boucle que le train a déraillé, tend son micro à des témoins qui n'ont pas vu grand-chose, mais qui confirment que le train a bien déraillé, pour ensuite déplorer ce regrettable accident tandis que les proches pleurent. «C'est aujourd'hui plus facile de tendre le micro et d'avoir une parole, note Claire Sécail. Beaucoup plus qu'une prise de recul. Mais c'est une question d'équilibre pour aboutir à une meilleure compréhension des aspects d'une affaire ou d'un fait divers.» Et d'ajouter : «La façon dont on traite les faits divers fait que sont laissées de côté les interrogations sur les causes de la violence. Et le résultat est simple : on aboutit à un refus de comprendre ou voir les paramètres sociaux qui entraînent des déviances ou des comportements marginaux.[12]» Au Canada, par exemple, la manière dont sont abordés les disparitions et les meurtres de jeunes filles, la plupart autochtones, sur une autoroute de Colombie-Britannique, surnommée significativement «autoroute des larmes», illustre le caractère dépolitisé du fait divers médiatique. Cette série de crimes a généralement été relatée hors de toute mise en contexte. Par exemple, on a évoqué le fait que ces femmes

---

12. Berthelemy, «Fait divers», *loc. cit.*

pratiquaient des « activités à risque », parmi lesquelles figuraient la prostitution et… l'auto-stop. Effectivement, chacun le sait, il est fortement déconseillé de recourir à cette pratique lorsqu'on est une fille et qu'on voyage seule. Mais, en l'occurrence, les victimes avaient-elles le choix ? En effet, elles étaient obligées de voyager en auto-stop pour aller de leur village à la ville, vu que la liaison par transport en commun avait été sacrifiée parce que peu rentable. Notons au passage que cette liaison était exclusivement réservée aux citoyens de seconde zone que sont encore les Autochtones au Canada, malgré les beaux discours – et les larmes – de Justin Trudeau. Ne faudrait-il pas plutôt rebaptiser cette autoroute l'« autoroute de la négligence criminelle du gouvernement canadien », même si c'est moins lyrique ?

L'idée d'un refus de comprendre, évoquée par Claire Sécail, résume bien l'angle d'attaque de la grande presse. Dans une enquête au long cours[13], François Ruffin, aujourd'hui député, a étudié le fonctionnement des écoles de journalisme. Il révèle qu'on y dispense un enseignement axé sur la recherche descriptive de la réponse aux trois questions « qui ? », « quoi ? », « où ? ». Cette trilogie basique donne une information squelettique au détriment de l'analyse du « pourquoi ? » et du « comment ? » des événements. Un jeune journaliste de radio, qui préfère garder l'anonymat, nous a ainsi raconté qu'après l'assassinat d'enfants juifs par Mohamed Merah à Toulouse en 2012, il avait téléphoné à une synagogue locale : le rabbin lui avait naturellement fait part de sa consternation et de son

---

13. François Ruffin, *Les petits soldats du journalisme*, Paris, Les Arènes, 2003.

effroi avant d'ajouter : « Ce crime est étonnant, car, à Toulouse, toutes les religions vivent en communauté. » Le rédacteur en chef a coupé cette dernière partie de l'entretien enregistré par le journaliste en affirmant péremptoirement : « Ça n'intéresse pas les gens. » Il n'a conservé que les moments où le rabbin exprime son émotion, maintenant les auditeurs dans le bain des réactions primaires suscitées par de tels crimes. C'est le même parti pris contre la compréhension qui explique l'attitude de Nicolas Demorand évoquée plus haut au moment du procès de Merah en 2017.

Évidemment, un tel refus de comprendre n'est pas forcément conscient ; il peut se révéler mécanique, suscité par l'ambiance globale de médias qui travaillent sous la pression des réseaux sociaux et dans une forme de course-poursuite les uns avec les autres. Derrière son objectivité revendiquée, l'homme de presse se vautre en fait dans la subjectivité ; il effectue sans arrêt des choix qui traduisent souvent l'idéologie dominante. Le même jeune journaliste raconte que sa rédaction l'a envoyé réaliser un micro-trottoir dans une gare un jour de grève des cheminots. Il ramène de son expédition des « sons » plutôt vivants où les voyageurs expliquent qu'ils font contre mauvaise fortune bon cœur, qu'ils ont enfilé des chaussures de sport et que l'exercice leur fait du bien, que l'attente sur les quais n'est pas si longue… Certains se plaignent, évidemment, mais globalement, le « ressenti » des personnes interrogées est plutôt positif, certaines vont même jusqu'à comprendre les motifs du mouvement social. Colère du rédacteur en chef qui renvoie le journaliste sur le terrain afin qu'il « mette en boîte » la colère des usagers des transports par quelques témoignages d'exaspération bien sentis. Les émotions collectées dans cette perspective enveloppent la grève des cheminots d'un halo de réprobation, voire de condamnation sans appel, plus conforme à la ligne éditoriale non avouée des médias.

La propagation émotionnelle est favorisée par le règne du «direct», de l'immédiateté, avec, pour les journalistes et commentateurs comme pour ceux qui les écoutent et les regardent, l'impossibilité de prendre du recul. Il est rare, concurrence oblige, que les médias s'abstiennent de diffuser une image ou de prendre l'antenne par souci d'éviter un emballement inopportun ou tout simplement la diffusion d'une fausse nouvelle. En 2018, deux personnalités politiques françaises ont ainsi été accusées à tort d'agression sexuelle par des journaux qui n'avaient pas pris le temps de recouper les sources.

Le sociologue Jean-François Tétu évoque une «fascination pour le direct». D'où la prolifération, souvent dramatisée, de prises d'antenne impromptues au son tonitruant d'«alerte info» ou de «*breaking news*», qui sont parfois d'un intérêt tout relatif. Les chaînes françaises se sont tout autant interrompues pendant les attentats de 2015 que lors du décès du chanteur Johnny Hallyday. Dans les deux cas, elles se sont mises en mode «édition spéciale» avec une information unique tournant en boucle pendant des heures. «Le cas le plus spécifique à la télévision est celui du direct», explique Jean-François Tétu. «On en a beaucoup dénoncé les effets désastreux sur l'information, et plus encore sur l'information en continu, qui n'offre aucun recul par rapport à l'événement. C'est bien pour cela que le direct est propice au surgissement de l'émotion. Il vise un effet de présence. Mais, alors qu'il peut être fortement narrativisé dans le faux direct ou d'usage systématique dans les informations radiophoniques, le reportage en direct, même très narrativisé [...], laisse une place capitale à l'imprévu.» Chacun, acteur et spectateur, se trouve alors embarqué dans le rôle du conducteur et du réceptacle, c'est-à-dire dans un refus de penser, comme chosifié par l'«information» qui passe et que l'on ressent au lieu de vouloir la comprendre. «L'information ne cherche pas ici un savoir ni même un voir», analyse encore Tétu, «mais un faire-voir susceptible de produire directement un croire, indispensable à l'émotion: "j'y étais [devant la TV], je l'ai vu"[14]».

L'émotion médiatique relève d'une logique de théâtralisation, dans la mesure où les organes de presse ne fonctionnent pas, au contraire de ce qu'ils prétendent, comme de simples relais de l'actualité, mais comme des vecteurs d'amplification, selon la technique du «temps réel», voire de la fascination esthétisante. Ainsi, par exemple, lors des attentats meurtriers et spectaculaires du 11 septembre 2001 aux États-Unis, nombreux furent les enfants qui crurent que des dizaines de tours avaient été détruites par des dizaines d'avions, tant les images passaient et repassaient sur tous les écrans. Dans ces cas, la presse assume, à rebours là encore, une forme de subjectivité de la mission qu'elle est censée assurer et qui consiste à rendre compte du monde tel qu'il est. Elle abandonne en pratique toute exigence d'objectivité ou, à tout le moins, d'honnêteté intellectuelle. S'il peut se révéler humainement difficile, voire impossible, de se départir d'une certaine dose de subjectivité, il est en revanche toujours possible de se montrer honnête; il existe d'ailleurs des techniques

---

14. Jean-François Tétu, «L'émotion dans les médias: dispositifs, formes et figures», *Mots. Les langages du politique*, vol. 75, 2004, https://journals.openedition.org/mots/2843.

journalistiques qui permettent de mettre à distance les faits, de rechercher le contradictoire, de recouper et de mettre les événements en perspective et qui cherchent à ne pas entrer dans les polémiques et les guerres claniques de bas étage.

En se plaçant sur le terrain émotionnel, la presse alimente de véritables campagnes pour ou contre des personnes, pour ou contre telle ou telle revendication. Elle contribue à formater le débat public, à définir une échelle des valeurs morales. Ainsi, dans l'affaire Merah, Nicolas Demorand opère-t-il un curieux renversement : il trouve « digne » de plonger dans la douleur des victimes, de se vautrer dans leur intimité (plus ou moins fantasmée, d'ailleurs), tandis qu'il trouve obscène de montrer que cette souffrance, en raison de son intimité, est la même pour tout le monde, en l'occurrence la mère de l'accusé, et que ce qui distingue ces douleurs se trouve ailleurs, sur la scène du monde, justement. Dans ce cas, la presse impose une définition de ce qui est honorable et de ce qui ne l'est pas. Son échelle de valeurs garantit que les auditeurs s'identifieront à la « bonne » personne.

De la même manière, le prisme émotionnel obscurcit les débats de fond au lieu de faciliter leur développement au bénéfice de l'intérêt général. En France, la presse s'est par exemple emportée contre une décision de justice acquittant, pour absence d'éléments suffisants, un homme de 28 ans accusé de viol sur une fillette de 11 ans. La cour d'assises de Seine-et-Marne avait estimé que l'absence de consentement de la « victime » n'était pas prouvée. Un énorme scandale s'ensuivit dans les médias : une mineure peut-elle faire preuve de discernement face à un adulte dans des circonstances telles que celles-ci ? Vraie question, en effet. Le seul souci est qu'il semble que

les magistrats aient eu de sérieux doutes sur l'âge réel de l'enfant, issue d'une famille de migrants auxquels les papiers ont
été attribués sur simple déclaration de leur civilité. Or, affirmer
que son enfant est mineur permet de bénéficier d'un certain
nombre de prestations sociales. Ce point, qui reste à vérifier,
ne paraît pas avoir intéressé les journalistes, plus enclins à faire
du bruit avec une affaire spectaculaire qu'à recouper les informations[15]. Cette affaire a conduit le Parlement à se saisir d'une
modification de la loi pénale, notamment d'une modification
de l'âge du consentement sexuel des mineurs. Ainsi, le prisme
émotionnel recadre le débat public et le moindre emballement
peut avoir un réel impact sur les politiques publiques, surtout
avec les dirigeants d'aujourd'hui, qui gouvernent en surveillant
les tendances sur les réseaux sociaux.

Aux travers de la société médiatique s'ajoutent évidemment
les effets pervers des réseaux sociaux, abondamment soulignés
par les sociologues et les critiques des médias. Précisons pour
notre part que de plus en plus de citoyens se croient informés
parce qu'ils piochent sur internet. Ils sous-estiment le rôle des
moteurs de recherche et la sélection insidieuse des informations
qu'ils effectuent au profit souvent du spectaculaire, du racoleur,
de l'émotionnel. Une grande partie des « consommateurs d'informations » trouve les informations dans les médias dits
« sociaux », ce qui ne fait qu'exacerber la redoutable efficacité de
la manipulation béhavioriste par les algorithmes, comme l'a
montré le scandale Facebook, menant à une hyperindividualisa-
tion des affects et laissant libre cours à la manipulation cyberné-
tique des préférences subjectives, des certitudes, des préjugés.

---

15. *Le Monde*, 15 février 2018.

MÉCANIQUE DE L'EMPATHIE

Ce ne sont pas des soubresauts émotionnels ou des prurits lacrymaux qui envahissent l'espace public. C'est un véritable mécano social qui entraîne toute la collectivité, quel que soit le champ d'observation ou d'action. Il en est ainsi des grandes crises internationales, comme celle provoquée par le développement du terrorisme. Leur traitement impose des solidarités aux spectateurs ou aux lecteurs par l'importance accordée à chaque événement. Le journaliste Téo Cazenaves a comparé le temps consacré au suivi de l'attentat de Manhattan du 2 novembre 2017, lorsque le conducteur d'un véhicule a foncé dans la foule tuant 8 personnes et en blessant 12 autres, avec celui du 16 octobre 2017 à Mogadiscio, lorsqu'un camion piégé a explosé au milieu des passants. « Les journaux de huit heures de France Inter ont consacré 6 minutes et 26 secondes à l'attentat de Manhattan, constate-t-il. Deux semaines plus tôt, celui de Mogadiscio, attaque terroriste la plus meurtrière de l'histoire africaine avec 512 morts, n'avait eu droit qu'à une brève de 21 secondes dans les journaux de huit heures de la première radio du service public, soit 18 fois moins[16]. »

Paradoxalement, les journalistes justifient leur partialité en se retranchant derrière les règles du métier, en particulier la fameuse « loi de proximité » qui postule que le spectateur et le lecteur seront plus intéressés par un événement qui leur est proche. Mais cette règle ne se vérifie pas toujours, car pour un Français, New York et Mogadiscio se trouvent peu ou prou

---

16. Téo Cazenaves, « Loin du cœur, loin des yeux », *Le Monde diplomatique*, mars 2018.

dans un lointain comparable, à quelques kilomètres près. Pourtant, c'est Manhattan qui fait la une. D'autres facteurs entrent donc en ligne de compte, comme la proximité culturelle, qu'elle soit réelle ou supposée. Les Français sont supposés être plus proches des Américains que des Africains, ce dont il nous sera permis de douter, surtout depuis que la présidence de Donald Trump modifie à grande vitesse l'image de son pays dans le monde, mais aussi, et surtout, parce que les liens entre la France et le continent noir sont anciens et continuent d'être nourris de mouvements de populations et d'accords économiques. Quoi qu'il en soit, n'est-ce pas justement le devoir du journaliste que de combattre les préjugés et de proposer une hiérarchie de l'information qui corresponde à des valeurs humaines plutôt qu'à des lieux communs aussi vieux que coriaces ?

Le traitement d'une même information révèle des préjugés, conscients ou inconscients. Si l'affaire Harvey Weinstein a suscité une prise de conscience des violences subies par les femmes, force est de constater que, pendant longtemps, les médias ont passé ces phénomènes sous silence ou les ont noyés dans la catégorie fourre-tout des faits divers. C'est le constat d'un collectif de chercheurs emmenés par Audrey Guiller et Lenaïg Bredoux :

> Par le simple fait de placer les violences conjugales dans la rubrique des « faits divers », les rédactions prennent le parti de les mesurer à des informations de nature bien différente. Par exemple, si le « fait divers du jour » de *Metronews* se veut toujours décalé, il peut être à connotation sociale (« Elle conserve le cadavre de sa mère de 93 ans pour toucher ses allocations », le 2 octobre 2015), sexuelle (« La partie de sexe entre deux profs a été enregistrée par un élève », le 11 septembre) ou carrément loufoque (« Ils déterrent un cadavre et font de son crâne… un cendrier », le 13 octobre). Quel message cela renvoie-t-il aux lecteurs quotidiens de ces titres ? Que les

violences conjugales sont des événements un peu fous qui arrivent à des gens différents d'eux[17].

Les dispositions intellectuelles et professionnelles des journalistes et le fonctionnement de la presse expliquent le phénomène des emballements médiatiques avec tout ce qu'ils peuvent avoir de dangereux et d'injuste. En novembre 2017, l'homme de théâtre canadien Gilbert Sicotte a été mis en cause par certaines de ses étudiantes qui dénonçaient ses méthodes d'enseignement, jugées particulièrement dures, voire humiliantes. En quelques jours, l'affaire – abondamment relayée par la presse locale – a pris de telles proportions que l'homme a été démis de ses fonctions au Conservatoire d'art dramatique de Montréal, en l'absence de réels moyens de présenter sa défense. Dans *Le Journal de Montréal*, la journaliste Josée Legault a critiqué la « crucifixion » de Gilbert Sicotte[18].

Dans le contexte d'une presse en crise et de journalistes sous-équipés et mal formés, force est de constater que le traitement compassionnel de l'information met, en apparence, tout le monde à égalité. Pas besoin d'être allé à l'université pour être ému ! Pas besoin d'avoir une expérience quelconque pour s'apitoyer sur le sort d'une victime. Pas besoin d'avoir suivi des études de journalisme pour raconter un fait divers. Une insidieuse petite mécanique cliquette ainsi au quotidien et alimente une vaste régression sociale quand les médias devraient,

---

17. Un collectif d'Acrimed, « Les violences conjugales : un divertissement médiatique », Acrimed, 24 novembre 2015, www.acrimed.org/Les-violences-conjugales-un-divertissement-mediatique.

18. Josée Legault, « La crucifixion de Gilbert Sicotte », *Le Journal de Montréal*, 22 novembre 2017.

au contraire, s'ériger en remparts de l'exigence civique. «Un État totalitaire vraiment efficient», écrit Aldous Huxley dans *Le meilleur des mondes*, «serait celui dans lequel le tout-puissant comité exécutif des chefs politiques et leur armée de directeurs auraient la haute main sur une population d'esclaves qu'il serait inutile de contraindre, parce qu'ils auraient l'amour de leur servitude. La leur faire aimer – telle est la tâche assignée dans les États totalitaires d'aujourd'hui aux ministères de la propagande, aux rédacteurs en chef des journaux et aux maîtres d'école».

La sélectivité de l'émotion médiatique peut également correspondre à une cartographie sociale. Les journaux rendent souvent compte avec beaucoup plus de sympathie d'une grève de pompiers ou de policiers que d'une grève de cheminots ou d'ouvriers d'usine. C'est ce que montre notamment l'enquête du sociologue Julien Salingue[19]. La répartition sociale de l'empathie se révèle aussi dans le traitement particulièrement méprisant de certaines «scènes de la vie de province», comme l'émeute provoquée dans un supermarché français par une promotion sur le prix d'une célèbre pâte à tartiner en janvier 2018, objet d'un torrent de commentaires médiatiques qui auraient peut-être gagné à s'inspirer davantage de Balzac, tandis que les images circulaient sur toutes les télévisions et les réseaux sociaux. On y voyait des personnes se battre littéralement pour mettre la main sur les pots soldés. Le spectacle d'hommes et de femmes prêts à s'abaisser ainsi a suscité des

---

19. Julien Salingue, «TF1 et France 2 au secours des mal-aimés de la police», Acrimed, 19 mai 2016, www.acrimed.org/TF1-et-France-2-au-secours-des-mal-aimes-de-la.

remarques désobligeantes et des moqueries qui en disaient assez long sur les préjugés sociaux de ceux qui les formulaient. En effet, entend-on les mêmes remarques hautaines lorsque les gens se précipitent, se laissant aller à des formes d'hystérie collective, lors d'un concert, voire d'une compétition sportive? La question mérite d'autant plus d'être posée que les commentaires replaçaient peu, voire pas du tout, l'émeute de la pâte à tartiner dans le contexte de la montée des inégalités sociales, de la rigueur salariale ou du chômage. La grille de lecture était purement événementielle ou spectaculaire. «C'est signifiant, révélateur et inquiétant», estimait alors le sociologue Gérard Mermet. «Cela confirme des choses observées depuis quelque temps déjà […]: une société non sereine, sous tension, dans l'émotion plus que dans la raison[20].» Inconscients de leurs responsabilités sociales ou refusant de les assumer, les médias font preuve d'une médiocrité autosatisfaite au service d'une bêtise forcenée dans l'analyse sociale.

Sur des bases pareilles, la plupart des journalistes modernes se trouvent bien loin d'incarner le fameux «quatrième pouvoir» qu'est supposée être la presse dans nos démocraties. L'émotion crée une étouffante proximité quand le journalisme est, selon la formule du fondateur du journal *Le Monde* Hubert Beuve-Méry, une question de «contact et de distance».

---

20. Florence Méréo, «Pourquoi cette ruée sur le Nutella dans les supermarchés?», *Le Parisien*, 29 janvier 2018.

CHAPITRE 3

QUAND LA VICTIME SUPPLANTE LE HÉROS

DANS *LA VIE DE GALILÉE* de Bertolt Brecht, Andrea, indigné par le fait que son maître ait abjuré après avoir été condamné par l'Église, s'écrie: «Malheureux le pays qui n'a pas de héros!» et s'attire cette réponse de l'astronome: «Malheureux le pays qui a besoin de héros.» Les sociétés contemporaines semblent habitées d'une tout autre préoccupation. Après la vogue des antihéros, notamment dans le cinéma des années 1960-1970, un autre personnage vient progressivement remplacer le héros dans les imaginaires: la victime. Au milieu des années 2010, par exemple, en France, une campagne publicitaire prétendait attirer l'attention sur ce qu'elle présentait comme des «héros ordinaires». Il s'agissait en fait de personnes qui avaient réussi à surmonter un cancer. Voilà qui est évidemment un événement positif à célébrer, mais est-ce à dire que ceux qui ont succombé à cette maladie ont été moins héroïques? Ne seraient-ils que des perdants de l'histoire? «La façon qu'a notre société de transformer en héros tout ce qui souffre et hurle révèle la maladie de l'époque, cette époque incapable de regarder une pathologie en face, souligne André

Bellon. Pourquoi cette habitude nouvelle de prendre le malade pour extraordinaire[1] ? » Et que dire de cette étrange coutume qui consiste à applaudir le cercueil lors d'un enterrement ? En principe, cette pratique, née dans les années 1960, ne concernait que les artistes auxquels on souhaitait ainsi rendre un dernier hommage, mais elle s'est progressivement étendue aux personnalités du monde politique et intellectuel, dans le but de saluer leur œuvre ou leur contribution au progrès de la société et, ainsi, le cuisinier Paul Bocuse ou le militant Stéphane Hessel furent ovationnés lors de leurs funérailles. L'anthropologue Annick Barrau a étudié plusieurs obsèques dans le cadre desquelles étaient pratiqués ces nouveaux rites, tel le geste de la mère d'une ballerine décédée qui a demandé à l'assistance d'applaudir sa fille pour sa « dernière représentation[2] ». De nos jours, on acclame les victimes de crimes ou d'accidents au passage de leur cercueil, mais on peut raisonnablement se demander ce qui justifie un tel salut solennel. La victime est-elle rendue héroïque par le coup de son assassin ou par les tonneaux du véhicule dont elle a perdu le contrôle ?

Dans la tradition, depuis au moins Ulysse, le héros se démarque moins par l'acte extraordinaire qu'il accomplit que par le fait qu'il a choisi de l'accomplir. Il aurait pu se dérober devant l'obstacle, il aurait pu préférer la facilité ou s'enfuir. L'image d'Ulysse exigeant d'être ligoté au mât de son navire tandis que les sirènes entonnent leur dangereux chant résume

---

    1. André Bellon, « De l'homme à la victime », *Humanisme*, n° 277, juin 2017.

    2. Annick Barrau, *Quelle mort pour demain ? Essais d'anthropologie prospective*, Paris, L'Harmattan, 2000.

bien la situation héroïque : le personnage d'Homère opte pour le combat avec la tentation au lieu de se boucher les oreilles avec de la cire, comme les autres marins. Les romans d'Alexandre Dumas abondent de ces moments où, tout à leur panache, les mousquetaires, par exemple, bravent un danger qu'ils auraient pu éviter, comme lorsqu'ils chevauchent jusqu'à Londres pour ramener les ferrets à la reine, au péril des gardes du cardinal de Richelieu et des éléments déchaînés sur la Manche. On est manifestement loin de la situation du malade, contraint de se battre pour sauver sa vie. Lui n'a pas le choix. La victime est d'abord quelqu'un qui subit une situation qui lui est imposée de l'extérieur, ce qui n'a rien d'héroïque en soi. En revanche, sa façon de surmonter l'épreuve qu'elle affronte peut relever de l'héroïsme. Placés devant le même obstacle, les individus réagissent de façons très différentes : un enfant battu peut, en grandissant, surpasser sa souffrance ou souffrir de traumatismes qui le handicaperont toute sa vie. « L'expérience, ce n'est pas ce qui arrive à quelqu'un, c'est ce que quelqu'un fait avec ce qui lui arrive », dit un personnage du *Meilleur des mondes* d'Aldous Huxley. On peut avoir été plongé dans la misère sans devenir un misérable, pour reprendre les mots de Victor Hugo. Il n'en demeure pas moins qu'une victime est d'abord quelqu'un qui n'est pas totalement libre et qui doit affronter une situation qui ne lui laisse pas de choix.

Le Panthéon revisité

De nos jours, nombreuses sont les manifestations de la dérive qui voit, dans le Panthéon des personnages historiques, les victimes remplacer les héros. Rappelons, à titre d'exemple, les débats autour du monument érigé à Paris pour représenter le général Dumas. Le père du grand écrivain et auteur des *Trois mousquetaires*, né esclave, est devenu un héros de la Révolution française, puis officier de Napoléon, et a participé aux campagnes militaires de la jeune République avant de s'opposer à l'empereur dont il n'appréciait pas l'autoritarisme. Lorsque la décision a été prise de lui ériger un monument, le sculpteur sénégalais Ousmane Sow a proposé de représenter le général domptant un cheval, dans toute la force et la fonction de son grade, mais la mairie de Paris a préféré une sculpture, inaugurée le 4 mai 2009 dans le 17ᵉ arrondissement de la capitale française, représentant une énorme chaîne d'esclave. Voilà comment un symbole de courage, de fraternité révolutionnaire, de promotion républicaine, de volonté nationale, a été réduit à son ancienne condition servile. Une confusion semblable paraît avoir orienté la décision du président François Hollande de rendre hommage aux victimes des attentats de Paris dans la cour de l'hôtel des Invalides, lieu pensé par Louis XIV pour soigner les soldats blessés au front. La cérémonie du 27 novembre 2015 accordait une large place à l'émotion, avec une mise en scène, un choix musical et moult images destinées à renforcer l'émotion déjà lourde. Or ceux qui sont tombés sous les balles des terroristes, tout en étant des symboles de la violence criminelle aveugle, n'étaient pas des combattants et, *a priori*, pas des héros. Le choix des Invalides pour les rappeler au cœur de la nation paraît alors quelque peu inadapté.

Le culte de la victime a trouvé en France une autre illustration symptomatique dans le projet – finalement abandonné – de transfert au Panthéon des cendres d'Alfred Dreyfus. Ce capitaine de l'armée française avait été l'objet d'une campagne antisémite d'une rare violence dans les années 1890. Injustement condamné pour espionnage, il avait été dégradé et condamné au bagne. L'affaire avait provoqué un immense scandale d'État, mobilisant le pays entier, divisé entre partisans et adversaires de Dreyfus. Or, en voulant placer cet officier bafoué au Panthéon, mausolée censé honorer les gloires nationales, on confondait la victime et le héros, car de fait, le capitaine n'a fait que subir douloureusement les événements. À aucun moment il n'a agi d'une manière qui le distinguait. Il est même demeuré étrangement passif à des moments clés du procès militaire – parfaitement truqué – qui lui fut intenté à Rennes. À l'opposé, le lieutenant-colonel Marie-Georges Picquart, congédié du ministère de la Guerre et radié de l'armée pour avoir dénoncé le complot ourdi contre Dreyfus, pourrait bénéficier à bon droit de l'attention des panthéonisateurs les moins regardants et rejoindre Émile Zola, qui avait contribué à dévoiler l'affaire au grand public au péril de sa réputation et de sa liberté. Précisons au passage que l'auteur du célèbre « J'accuse » avait été déçu de sa rencontre avec Dreyfus, quelque temps après la libération de ce dernier. L'homme était finalement assez falot, très simple, voire quelconque. On rapporte que Zola, interloqué, l'avait interpellé : « Mais, vous n'êtes pas dreyfusard ? » Ce à quoi l'officier fraîchement rétabli dans tous ses grades et dignités aurait simplement répondu, sans visiblement comprendre la question : « Je suis Dreyfus. » La victime n'est parfois pas à la hauteur du symbole qu'elle incarne. C'est pourquoi on ne se bat pas seulement pour une personne, mais pour ce qu'elle représente, parfois malgré elle.

La victime occupe désormais une place centrale dans les sociétés contemporaines, aux côtés de ses divers avatars. Ainsi, au théâtre de la Porte Saint-Martin à Paris, le metteur en scène Dominique Pitoiset a-t-il choisi de placer l'action de *Cyrano de Bergerac* d'Edmond Rostand dans un hôpital psychiatrique, faisant ainsi d'un des symboles du panache et du courage, le chef d'une bande de fous… Le héros militaire de jadis est aujourd'hui un malade interné. Dans le même ordre idée, au Canada, le statut acquis par le sénateur Pierre-Hugues Boisvenu ne provient-il pas avant tout de son statut de victime? Le meurtre crapuleux de sa fille l'a propulsé sur le devant de la scène et lui a conféré une place sans lien évident avec sa représentativité ou son envergure. Il est même devenu l'une des figures conservatrices, avocat d'un durcissement du droit pénal.

Comme nous l'avons déjà dit, les médias contribuent évidemment à cette valorisation victimaire, voire à cet engouement, mais, au-delà de la sortie de route médiatique, le portrait de la victime constitue une clé de lecture de plus en plus prégnante dans toutes les sphères de la vie sociale. Le risque réside ici dans la dépolitisation d'événements vus sur le mode doloriste et sentimental, exclusivement à travers leurs conséquences et sans que leurs causes soient analysées. En 2015, le conflit en Syrie et les conséquences de la déstabilisation de la Libye ont provoqué un afflux de réfugiés vers l'Europe. Cette crise, impliquant des centaines de milliers d'hommes, femmes et enfants, a surpris et déstabilisé les gouvernements du Vieux Continent. Dans les médias, ces faits sont traités sur le mode événementiel et descriptif, avec une très forte emphase sur le destin des victimes, comme ce garçonnet syrien prénommé Aylan, noyé en Méditerranée. Mais le logiciel d'explications tourne désespérément à vide pour le spectateur confronté à l'insupportable. « On ne peut pas rester insensible. L'émotion est surtout conséquente quand il s'agit d'enfants », explique la chercheuse Claire Sécail. « Le regard sur les migrants et les réfugiés a changé immédiatement quand a été diffusée la photo du petit Aylan retrouvé sur une plage turque. Mais il y avait une vraie histoire derrière, qu'on pouvait exploiter pour en tirer toutes les conclusions politiques si elle n'avait pas été traitée sous le coup de l'émotion. Dommage d'avoir une entrée victimaire, même si la victime est centrale[3]. » Simplificateur par définition, ce traitement victimaire empêche effectivement d'interroger les causes, de décrypter l'enchaînement des faits. Il permet d'écarter l'épineuse et délicate question de la responsabilité, voire de la culpabilité, de ceux qui nous dirigent. Le rôle joué par la « communauté internationale » dans l'effondrement de la Syrie mériterait d'être étudié de près, comme celui joué par la France, par exemple, dans l'effondrement de la Libye, où l'intervention militaire franco-anglaise de 2011 a provoqué une série d'événements qui ont perturbé tout le Sahel. Cet élément n'est quasiment jamais évoqué dans le débat public[4].

Le sort fait aux migrants et aux réfugiés au cœur même de l'Union européenne (UE), les personnes jetées sur les trottoirs des capitales du Vieux Continent, les camps où croupissent des centaines, voire des milliers, de personnes totalement désemparées, notamment dans le nord de la France, mais aussi dans les arrondissements périphériques de Paris, suscitent de légitimes haut-le-cœur. Ceux qui se relèvent les manches pour

---

3. Claire Berthelemy, « Fait divers : entre empathie médiatique et opportunisme politique », 4 février 2016, www.limprevu.fr/droit-de-suite/fait-divers-entre-empathie-mediatique-et-opportunisme-polique.

4. Philippe Leymarie, « Comment le Sahel est devenu une poudrière », *Le Monde diplomatique*, avril 2012.

chercher des solutions ne sont pas très nombreux. Moins que ceux en tout cas qui, croyant que leur indignation est providentielle, se donnent le beau rôle et posent en censeurs moralistes. Ainsi, l'écrivain Yann Moix a violemment interpellé le président de la République française Emmanuel Macron à propos du traitement réservé aux exilés du camp de Calais dans le nord de la France[5]. Utilisant volontairement un vocabulaire exagéré qui résonne douloureusement, il a parlé d'«actes de barbarie», faisant clairement référence à la période nazie. Peut-on vraiment faire ce type de parallèles sans tomber dans un piège analogue à celui que décrit la loi de Godwin? Si on qualifie d'«actes de barbarie» ce qui se déroule à Calais, alors comment qualifier les tortures dans les prisons syriennes ou les viols perpétrés sur les écolières nigérianes par la secte Boko Haram? Indépendamment de ces exagérations, la tribune de Moix frappe par sa facilité: il dépeint, avec force grandiloquence, le sort réellement tragique des réfugiés en amalgamant grossièrement des situations différentes, comme celle de réfugiés qui fuient la guerre et celle où se retrouvent ceux qui cherchent à s'extraire de la misère; il brosse sans recul, et sans les connaître, le portrait de personnes qu'il qualifie lui-même d'«inoffensives» (comment peut-il être aussi sûr de l'innocence de milliers d'individus?). Si Moix a raison de dénoncer les violences policières commises sur les réfugiés, il surfe en revanche sur la victimisation doloriste pour se poser, à bon compte, en justicier et théâtraliser sa description des faits jusqu'à la caricature. Depuis l'affaire Dreyfus, beaucoup

---

5. Yann Moix, «Monsieur le Président, vous avez instauré à Calais un protocole de la bavure», *Libération*, 21 janvier 2018.

d'intellectuels français ont tenté d'endosser le costume d'Émile Zola, masquant sous l'emphase leur méconnaissance des affaires, alors que l'auteur du « J'accuse » avait minutieusement lu chacune des pièces du dossier Dreyfus pour se forger un jugement. Multipliant les effets de manche écrits ou télévisés, ils oublient que Zola, lui, risquait la prison et qu'il y aurait même laissé la vie, puisqu'on pense que la propagation de monoxyde de carbone qui l'a tué, après les nombreuses menaces de mort qu'il a reçues, était le résultat d'un geste commis par un fumiste malveillant. En comparaison, les indignés du petit écran ne risquent quasiment rien, sauf peut-être une polémique virale sur les réseaux sociaux ou, pire encore pour eux, le silence autour de leur personne… Faire du bruit vous assure un regain de notoriété et des « j'aime » compulsifs sur la Toile. C'est donc ainsi que la centralité de la victime dans le débat public, exacerbée par les emballements médiatiques, dévoie entièrement le sens même du courage.

Dans une logique autrement simplificatrice, le débat sur la lutte contre les violences faites aux femmes se cantonne lui aussi parfois au registre victimaire, en accordant une trop grande place à un récit qui, pour être de salut public par la mise au jour de comportements inadmissibles, tend à codifier les rôles, la femme y étant parfois dépeinte comme une proie potentielle pour un homme qui serait naturellement prédateur. Trop peu de personnes posent les questions de fond, notamment celles des rapports de pouvoir: l'homme qui impose à une femme des rapports sexuels exerce une violence (souvent passible des tribunaux), mais il commet également un abus de pouvoir, comme l'explique l'écrivain Mazarine Pingeot, qui dénonce la pauvreté des réflexions sur l'exercice du pouvoir. De même, la comédienne Juliette Binoche – qui milite par ailleurs pour la parité dans le cinéma – propose d'étendre le débat aux conditions économiques et sociales précaires des jeunes actrices, qui les rendent vulnérables à des producteurs tout-puissants. «Au cinéma, l'exercice du pouvoir est très particulier. Le producteur a un pouvoir, le metteur en scène a un pouvoir, l'acteur a un pouvoir, explique-t-elle. S'approcher de ces pouvoirs-là, c'est un peu comme des trous noirs dans l'espace, ils dégagent une énergie qu'il faut savoir décrypter, sentir, on peut tourner en orbite, mais gare à ne pas se laisser happer[6]!» Cette hauteur de vue permet d'éviter les généralisations essentialistes sur l'un ou l'autre sexe. Malheureusement, la société préfère trop souvent les témoignages spectaculaires de victimes aux analyses exigeantes, et privilégie un état émotionnel dépolitisant au détriment de la réflexion tournée vers une action en profondeur sur les ressorts économiques, sociaux et culturels des rapports de domination. Ce qui n'est pas sans susciter certaines contradictions: à la cérémonie des Césars de 2018, tout le monde arborait un ruban blanc, signe du rejet des violences faites aux femmes, mais certaines comédiennes avaient épinglé le leur sur des robes de grands couturiers, symboles d'une industrie qui asservit la femme à la dictature des apparences et impose des conditions de travail intolérables[7].

Aujourd'hui, les débats sur les migrants ou celui sur les violences faites aux femmes permettent de mieux comprendre

---

6. Franck Nouchi, «Juliette Binoche: "La femme est facilement moquée, ridiculisée, on a besoin de la diminuer"», *Le Monde*, 23 octobre 2017.

7. Giulia Mensitieri, «*Le plus beau métier du monde*». *Dans les coulisses de l'industrie de la mode*, Paris, La Découverte, 2018.

pourquoi la psychanalyste Caroline Eliacheff et le juriste Daniel Soulez Larivière voient dans le prestige et le crédit inédits que l'on accorde aux victimes une conséquence de la société du spectacle[8]. L'attention du citoyen doit en permanence être accaparée par une petite musique compassionnelle dont les notes sont autant d'événements dramatiques appelant une adhésion immédiate et sans réflexion.

LA JUSTICE DÉBOUSSOLÉE

Les victimes et leur souffrance ont longtemps été négligées, notamment par une justice dont le but était avant tout de régler le sort du criminel et de protéger la société. Progressivement, elles se sont vu reconnaître des droits et un statut, ce qui a souvent permis une plus juste réparation du préjudice subi. Les mouvements féministes et associations humanitaires ont joué un grand rôle dans l'amélioration du sort des victimes dans les deux dernières décennies, et c'est entre autres grâce à leurs efforts que le Conseil de l'Europe a adopté plusieurs rapports sur l'aide et l'indemnisation que celles-ci peuvent recevoir. En France, c'est l'objet de la loi du 15 juin 2000. Le Canada dispose d'une Charte des droits des victimes, adoptée en 2015, qui leur garantit une place dans l'administration de la justice, après avoir significativement stipulé que celles qui ont subi des actes criminels ainsi que leurs familles « méritent d'être traitées avec courtoisie, compassion et respect, notamment celui de leur dignité ». La criminologie s'est quant à elle enrichie d'une

---

8. Caroline Eliacheff et Daniel Soulez Larivière, *Le temps des victimes*, Paris, Albin Michel, 2007.

nouvelle branche, la victimologie, qui étudie les conséquences de l'infraction, les possibilités d'aide aux victimes, mais aussi, dans une perspective de prévention, les conditions qui ont conduit à la réalisation de l'infraction. Cette nouvelle science a notamment permis de mieux lutter contre les violences conjugales, longtemps méconnues. « La parole de la victime est écoutable et entendable. Les chroniqueurs judiciaires, à l'époque [dans les années 1960], étaient les premiers sur le front pour repérer la façon dont la parole des victimes prenait de plus en plus de place dans les procès, explique Claire Sécail. Et, souvent, leurs avocats jouent aussi un rôle majeur : celui de la défense est la figure héroïque par excellence [...]. Le circuit associatif, aussi, a fait en sorte que la victime ait plus de place et soit propulsée devant les caméras[9]. » Pouvoir entendre cette parole constitue un progrès pour la recherche de la vérité dans une affaire.

Cependant, à côté de ces avancées qu'il n'est pas ici question de nier, se développe un phénomène de « victimisation » plus contestable. Une attention mal calibrée accordée à la victime provoque de nouveaux dysfonctionnements. En effet, les procédures judiciaires confèrent désormais une place particulière à la parole de la victime qui est entendue, mais indépendamment de sa contribution à la manifestation de la vérité. De fil en aiguille, celle-ci devient l'élément central du procès qui a pourtant pour fonction première de juger l'accusé. Or, la victime se fait de plus en plus procureur alors que, précisément parce qu'elle est victime, elle est la moins bien placée pour apprécier sereinement les événements. Ainsi, les témoignages,

---

9. Berthelemy, « Fait divers », *loc. cit.*

surtout s'ils sont impressionnants, risquent de perturber la réflexion des jurés et d'altérer leur jugement sur une personne dont le futur est en jeu. « Il est légitime que la victime ait toute sa place dans le procès. Mais il ne faut pas céder à la tentation de la transformer, selon les termes du doyen Jean Carbonnier, de sujet passif du délit en agent martial de la répression », avertit l'ancien président de la Cour d'appel de Paris Jacques Degrandi dans un discours de rentrée pénale en 2013. « Attention ! Progressivement, la victime devient l'âme du procès pénal et de ses suites […]. Pousser trop loin une logique qui accorde à la victime, même indirectement, la conduite du procès se retournera tôt ou tard contre elle. » La Cour pénale internationale (CPI), créée en 1998 par le statut de Rome, est exemplaire des processus de victimisation en cours. La procédure prévoit que la victime participe activement à l'administration de la justice. Elle n'est plus, comme devant les tribunaux spéciaux (ex-Yougoslavie, par exemple), un simple témoin, avec l'inconvénient d'être parfois instrumentalisée par l'accusation. « Sa contribution n'est plus cantonnée aux frontières probatoires du témoignage », souligne l'avocate Francesca Maria Benvenuto qui a rédigé une thèse sur le sujet[10]. Devant la CPI, la victime participe à l'administration de la preuve. Elle présente des éléments probatoires dans le but d'expliquer et de justifier le préjudice subi, mais également pour établir la culpabilité de l'accusé, « jouant le rôle de "procureur privé officieux" », résume Me Benvenuto. Le procès se construit ainsi de manière volontairement déséquilibrée en faveur des victimes,

10. Francesca Maria Benvenuto, « La Cour pénale internationale en accusation », *Le Monde diplomatique*, novembre 2013.

qui deviennent elles-mêmes des accusatrices, aux côtés du procureur. En somme, l'accusé fait face à deux accusateurs : il n'existe plus d'égalité des armes. Toujours selon Me Benvenuto, la CPI est construite sur un symbolisme en faveur des victimes et oublie ainsi la figure de l'accusé, ce qui déséquilibre le jeu processuel. Cette tendance se généralise. « Quand je regarde ce qui se passe aux États-Unis et au Canada, je suis frappé de l'évolution de cette tendance qui a accéléré la dureté des mœurs pénales et pénitentiaires. La victime, directement présente dans des commissions, peut être entendue, à l'occasion d'un débat sur un aménagement de peine », raconte le magistrat français Denis Salas. « Elle peut également produire une cassette vidéo, donner n'importe quelle information, avec la légitimité suivante qui mérite réflexion : "la sentence est trop courte compte tenu de la gravité du crime que j'ai subi"[11]. »

Le tribunal devient un lieu de reconnaissance des souffrances, même si l'expression de celles-ci ne fait aucunement avancer la recherche de l'exactitude des faits et ne contribue pas à déterminer la responsabilité de l'accusé. Le procès n'est plus l'espace où la société décide du sort à réserver à un individu sur lequel pèsent des soupçons ; il n'est plus le moyen pour la société d'apprécier le danger potentiel que représente un individu pour la collectivité. Le tribunal devient un espace d'expression, de gestion et, surtout, de réparation de la souffrance des victimes. Or rien n'est plus dangereux pour l'équilibre des débats que d'adopter la douleur comme critère

---

11. Denis Salas, « Le couple victimisation-pénalisation », *Nouvelle Revue de psychologie*, vol. 2, n° 2, 2006, www.cairn.info/revue-nouvelle-revue-de-psychosociologie-2006-2-page-107.htm.

d'évaluation de la culpabilité. En effet, la douleur est par définition subjective. Imaginons un exemple caricatural: une
vieille dame seule dont on tue le chat, seul être vivant lui tenant
compagnie, éprouvera une souffrance abyssale. Faut-il pour
autant rétablir la peine de mort pour les tueurs de chats? « Le
procès pénal n'est ni l'annexe d'un cabinet de psychologie, ni
une instance chargée de veiller aux bonnes mœurs, ni un quelconque bureau du Talion, souligne Me Éric Dupond-Moretti.
Autrement dit, la cour d'assises se réunit pour juger un individu à qui la société demande des comptes pour un crime dont
elle l'accuse. L'enjeu est là: un homme face au jugement de la
communauté des hommes. Le système, tout imparfait qu'il
soit, a été conçu ainsi, pour se substituer à la pratique de la
vengeance individuelle[12]. »

La centralité de la victime et l'intensité du bruit médiatique
propagé autour d'elle peuvent grandement perturber la sérénité de la justice. «En moyenne, chaque reportage sur un fait
divers criminel diffusé dans les journaux télévisés de 20 heures
augmente de 24 jours la durée des peines prononcées le lendemain par les cours d'assises», estime l'Institut des politiques
publiques (IPP) de Paris[13]. Devenue une icône, la victime réelle
ou présumée dévie le jugement judiciaire. Circonstances atté-
nuantes et principe d'individualisation des peines s'effacent
alors au profit de sanctions lourdes et presque automatiques.
Une «prégnance victimaire» conduit ainsi, selon le magistrat

---

12. Éric Dupond-Moretti, *Directs du droit*, Paris, Michel Lafon, 2018.

13. Aurélie Ouss et Arnaud Philippe, «L'impact des médias sur les décisions de justice», note IPP 22, janvier 2016, www.ipp.eu/publication/n22-
impact-des-medias-sur-les-decisions-de-justice.

Denis Salas, à une surenchère pénale destinée à obtenir une impossible «compensation» de la souffrance infligée. Par exemple, l'erreur judiciaire dont a été victime Loïc Secher trouve son origine dans l'émotion suscitée par le témoignage de la prétendue victime. Accusé de viol par une adolescente, cet ouvrier agricole s'est vu innocenter après des années d'emprisonnement, par le nouveau témoignage de celle-ci, devenue majeure, qui a reconnu avoir tout inventé. Comme dans l'affaire d'Outreau, où plusieurs personnes ont été condamnées à tort pour pédophilie, la justice a rencontré les plus grandes difficultés à revenir sur une décision erronée, prise sous l'empire de récits aussi imaginaires que spectaculaires et du souci, bien légitime, de protéger des mineurs. Il va sans dire que les simplifications médiatiques, le culte du «temps réel», les réseaux sociaux ne favorisent pas la sérénité dans ces affaires délicates. Le recours à l'émotion peut avoir des conséquences dramatiques immédiates. «Les parties civiles, les familles de victimes qui ont du chagrin, ont tous les droits, explique encore Me Dupond-Moretti. Elles ont même le droit de vouloir que [l'accusé] soit coupé en morceaux. Mais que les journalistes, avocats, juges ne puissent retenir que le chagrin des victimes et que cela balaie les preuves, c'est insupportable[14].»

Au nom de la souffrance, réelle, des victimes, on en vient à remettre en cause des principes fondamentaux du droit, comme l'abolition de la peine de mort. On oublie le principe d'individualisation des peines: cet acquis des sociétés démocratiques grâce auquel on juge des actes, mais aussi une personne, avec son histoire et ses caractéristiques. «Je pense aux

---

14. *Le 7/9*, France Inter, 3 novembre 2017.

victimes survivantes», s'interroge ainsi le philosophe Yves Michaud. «N'y a-t-il pas une disproportion de "justice" scandaleuse entre des gens dont la vie a été détruite et les destructeurs de la vie qui continuent à vivre? Vous imaginez le handicapé à vie avec un anus artificiel et des broches qui voit Salah Abdeslam [membre du commando qui a commis l'attentat du Bataclan à Paris en 2015] bien nourri, épousant une visiteuse de prison compatissante[15]?» Notons au passage l'exemple caricatural utilisé par le philosophe pour défendre un point de vue, très régressif, consistant à établir une équivalence entre le crime et le traitement du crime: le criminel s'abstrait de l'humanité, donc la société peut s'en abstraire également, sous-entend-on. Par le même glissement, on prétend que face au terrorisme, il serait préférable d'abandonner les valeurs démocratiques. Mais les deux plateaux de la balance de la justice ne communiquent pas, rétorque l'avocat Éric Dupond-Moretti: «Il n'y a pas de siphonnage de l'un à l'autre. Et il ne suffit pas de cogner sur l'auteur des crimes pour apaiser la douleur des victimes. Ce n'est pas au tribunal que l'on fait son deuil, c'est au cimetière[16].» Un point de vue partagé par l'avocate Francesca Maria Benvenuto, qui a observé le déroulement des procès à la CPI pendant de longs mois. «Le procès pénal international glisse vers le parcours thérapeutique», explique-t-elle. Selon certains juristes, la justice serait une «étape dans la nécessaire reconstruction de la victime[17]» et la nouvelle place obtenue dans le

---

15. *Philosophie magazine*, n° 116, février 2018.

16. *Ibid.*

17. Nicole Guedj, «Non, je ne suis pas inutile», *Le Monde*, 30 septembre 2004.

procès, une « première réponse pertinente à ses multiples traumatismes[18] ». Ce type d'interprétation risque d'enrayer toute rationalité juridique et trahit une grave « erreur herméneutique » qui consiste à confondre le droit d'accès à la justice avec le droit à « obtenir justice », avalisant une vision « justicialiste » des instances internationales.

Les dévoiements de procédure pénale se révèlent d'autant plus aisés que le crime est grave ou que le préjudice subi, par exemple lors d'un accident de transport qui a fait des dizaines de victimes, est immense. L'idée s'installe aisément que le châtiment doit non seulement être à la hauteur du dommage, mais qu'il faut absolument trouver un coupable, même lorsqu'il n'y en a pas. Les catastrophes naturelles n'ont pas toujours de responsables directs à portée de justice, car ceux qui causent le réchauffement climatique habitent rarement sur les lieux où ses conséquences se font le plus ressentir. Pourtant, les victimes réclament « justice ». C'est ainsi qu'après les inondations meurtrières dues à la tempête Xynthia sur la côte est de la France en 2010, le tribunal a, sous la pression des plaignants et des médias, fait preuve d'une extrême sévérité vis-à-vis des accusés. Les élus locaux, qui avaient délivré les permis de construire ou à qui on reprochait de n'avoir pas pris les mesures de protection nécessaires, ont été chargés de tous les maux, parfois même de ceux qui les dépassaient, comme les conséquences des colères de la nature. Les magistrats ont insisté sur le préjudice des victimes sans considération sérieuse des chaînes causales et noirci à l'excès les personnes mises en cause. Le

---

18. Julian Fernandez, « Variations sur la victime et la justice pénale internationale », *Amnis*, juin 2006.

verdict, accompagné de considérations morales, fut particulièrement lourd : l'ancien maire de la Faute-sur-mer a été notamment condamné à quatre ans de prison ferme, une peine d'une
sévérité inédite pour un délit non intentionnel, puisque la
peine la plus lourde jusqu'alors était de dix mois avec sursis.
Là, il s'agit d'une sentence privative de liberté ; ce qui est la pire
sanction dans les démocraties.

La victimisation de la justice est aussi la source de nombre
de faux espoirs pour les victimes dont les attentes sont, par
nature, disproportionnées. Il est nécessaire, par conséquent, de
réduire les enjeux symboliques, car, comme le rappelle l'historien Tzvetan Todorov, « le but de la justice doit rester la seule
justice[19] ». La recherche de l'exemplarité exacerbe les attentes.
« Au-delà de la répression des crimes et de la punition des
coupables, explique Me Benvenuto, la justice internationale
devient tout à la fois un instrument de prévention, un remède
à la guerre, l'arme de la sécurité globale et le moyen de rendre
justice aux victimes ainsi que de leur accorder une juste réparation ». Alors que la justice doit rétablir la paix dans la société en
définissant les frontières de l'acceptable et de l'inacceptable, la
victimisation installe progressivement une ambiance d'Ancien
Testament, de loi du Talion, où le châtiment, disproportionné
et souvent spectaculaire, s'abat sur les contrevenants sans
nuance. Malheur à celui ou celle qui se trouve sur le chemin
d'une telle justice. Le magistrat Denis Salas dénonce ainsi
un « acharnement à punir » caractéristique d'un « populisme

---

19. Tzvetan Todorov (dir.), « Les limites de la justice », dans Antonio
Cassese et Mireille Delmas-Marty, *Crimes internationaux et juridictions internationales. Valeur, politique et droit*, Paris, PUF, 2002.

pénal[20] ». Statufiée, la victime devient la raison d'être d'un renforcement de l'arsenal répressif, son nom est même donné à des lois. «La victime, diagnostique Salas, exemplifie par la honte de ce crime et authentifie légitime, politiquement et symboliquement, la puissance de la répression qui se développe à l'arrivée, sous forme de peines incompressibles et d'une négation totale de l'individualisation de la peine qui, jusque-là, était déterminante.»

Surenchère victimaire

L'irruption de la victime dans nos sociétés produit encore d'autres effets pervers, notamment en modifiant les figures du débat civique. Des individus utilisent le statut de victime pour s'affirmer dans l'espace public hors de toute autre légitimité. Il en est ainsi de la député française Laetitia Avia, qui a rendu publique une lettre d'un racisme inouï reçue à son bureau de l'Assemblée nationale. Cette élue était jusqu'alors davantage connue pour avoir mordu un chauffeur de taxi qui n'acceptait pas les cartes de crédit que pour son travail parlementaire. Les injures intolérables qui lui étaient adressées dans ce courrier lui valurent en revanche de nombreux messages de soutien, abondamment relayés, et quelques interviews télévisées, la plaçant soudainement dans le rôle de référence du débat public, sans autre mérite que d'avoir été insultée par un imbécile.

Ainsi, le statut de victime joue en quelque sorte le rôle de sauf-conduit, car la victime se voit, *a priori*, parée de toutes les

---

20. Lire Denis Salas, «L'inquiétant avènement de la victime», *Sciences humaines*, hors-série, n° 47, décembre 2004-janvier et février 2005.

vertus, devant lesquelles on doit s'incliner. Après un fait divers, les témoignages des proches de la victime sont d'ailleurs toujours valorisants et débordants d'anecdotes édifiantes, soulignant les qualités souvent exceptionnelles de celle-ci : pleine de vie, agréable, gentille, etc. À notre connaissance, aucune victime n'a été présentée comme un personnage abject. Aucun « gros con », même tragiquement disparu, n'a, officiellement, fait l'objet d'une marche blanche... Les journalistes et les observateurs semblent d'ailleurs éprouver une vraie difficulté à imaginer que les tueurs en série ou la fatalité puissent faire des victimes ailleurs que chez les gens bien.

Selon la même logique déformante, l'empathie compassionnelle suscitée par les souffrances des victimes dévie les termes du débat public en induisant une concurrence des douleurs. Ainsi, évoquant successivement les réparations accordées aux Amérindiens et aux Japonais-Américains, puis les réparations accordées dans l'urgence par le gouvernement américain aux familles des victimes des attentats du 11 septembre 2001, Roy L. Brooks, professeur de droit à l'université de San Diego, juge qu'aux États-Unis, « ce sont seulement les Afro-Américains qui sont les laissés-pour-compte de cette sollicitude généralisée[21] ». Les lois « mémorielles » ainsi que les demandes de « réparation » pour les victimes « directes ou indirectes » de l'esclavage ou de la colonisation rentrent dans ce cadre. Il devient alors difficile d'accorder aux uns sans accorder aux autres. L'attention portée à la victime génère une infinité

---

21. Roy L. Brooks, *When Sorry Isn't Enough: The Controversy over Apologies and Reparations for Human Injustice*, New York, New York University Press, 1999.

d'ayants droit que les pouvoirs publics se voient sommés de reconnaître. Le journaliste Pierre Hazan prend l'exemple de la conférence de Durban (Afrique du Sud), organisée par les Nations Unies en 2001, qui avait pour but de réfléchir aux notions de crime de masse et de discrimination. Il décrit comment, sous l'influence des ONG, « le colonialisme et l'esclavage occidentaux y comparurent dans une surenchère accusatoire attisée par la seconde intifada, et la conférence vira souvent à la foire d'empoigne identitaire. La concurrence victimaire pour la redéfinition, la reconnaissance et la réparation des crimes contre l'humanité y révélait le choc des mémoires et le ressentiment de ceux qui en étaient exclus[22] ». Le processus paraît désormais infini, car les crimes qu'il faut réparer sont parfois très anciens. On peut, à ce titre, s'interroger sur la propension de certains à se déclarer « descendants d'esclave ». Si cette filiation est la plupart du temps réelle (nous écartons le cas marginal des imposteurs), la revendication effective, elle, un tri entre les ancêtres de celui qui la formule. Tous ses aïeux n'étaient pas esclaves ; certains ont vécu avant l'esclavage, d'autres après l'esclavage ; certains ont peut-être été de grands résistants, des intellectuels brillants, des héros politiques. Cependant, au-delà de la nécessité indéniable de dénoncer le crime d'esclavage, l'attrait exercé par le statut de victime pousse à choisir dans son arbre généalogique ce qui est perçu, dans nos sociétés contemporaines, comme le plus gratifiant, c'est-à-dire la victime. Dans des sociétés inégalitaires qui reproduisent souvent, très longtemps après les faits, les mécanismes de la discrimination, ce statut confère immédiatement une place ; il permet de briser le

---

22. Pierre Hazan, *Juger la guerre, juger l'histoire*, Paris, PUF, 2007.

« plafond de verre ». Le débat social s'en trouve modifié par la surreprésentation des positionnements victimaires, qui peuvent par ailleurs se concurrencer, se contredire ou s'annuler. On pense au conflit de loyauté suscité en 1991 par les accusations de harcèlement portées par Anita Hill contre le juge noir Clarence Thomas. Quelle revendication devait l'emporter? Le féminisme? La défense des Afro-Américains discriminés?

La victimisation conduit en outre à une dépolitisation des débats, réduisant toute question à un affrontement binaire entre victimes et bourreaux qui permet rarement de rendre compte de la réalité avec justesse. Cette dichotomie simplifie d'autant plus les enjeux que les victimes sont rarement totalement innocentes ni les coupables totalement coupables, sans compter qu'on peut être victime dans une situation et coupable dans une autre. C'est ainsi que les enfants martyrs deviennent parfois eux-mêmes des bourreaux pour leurs propres enfants.

Un lien peut être établi entre le processus de victimisation et l'affadissement du débat idéologique sur fond d'explosion des inégalités, dans la mesure où il fonctionne comme un substitut aux carences du politique, comme nous le verrons plus loin. La question sociale, la souffrance généralisée des catégories populaires – dont la prise en charge ne cadre pas avec la grille des revendications victimaires – ont d'ailleurs pratiquement disparu des conversations et des affrontements démocratiques. L'hyperindividualisme inhérent à la valorisation victimaire ne cadre pas avec les analyses en termes d'injustices économiques ou de rapports de classes. Cette souffrance collective relève en effet d'une autre vision du monde où celui qui souffre d'un ordre social est aussi et avant tout une personne que le fait d'autrui ou les logiques d'un système privent de ses droits fondamentaux : c'est donc l'action qui s'impose, et non la compassion. Décrivant la « victimisation généralisée », caractérisée par une « surexposition de la vie privée », Caroline Eliacheff et Daniel Soulez Larivière estiment que « [l']unanimité compassionnelle fait office de lien social[23] ».

Le transfert de la faveur populaire du héros vers la victime en dit long sur le dolorisme ambiant et le sentiment d'impuissance qui l'accompagne. Les citoyens se sentent tellement dépossédés des moyens d'agir sur leur quotidien et sur leur destin qu'ils se sentent plus proches d'une personne qui subit le malheur que de celle qui se bat pour le vaincre. La situation de celui qui souffre, aussi parce qu'il attire la compassion, devient presque enviable. Cet état psychologique conduit à une passivité que les pouvoirs en place peuvent avoir intérêt à entretenir ou encourager parce qu'elle les sert. Il est un puissant vecteur de conservatisme, permettant à ceux qui dirigent de mener les affaires à leur guise. « La victimisation est cette tendance à conférer aux victimes un statut social ou une attention souvent proche d'une sacralisation », explique ainsi André Bellon. « La transformation des victimes en héros aboutit à les enfermer dans leur statut de victime. Rien de moins révolutionnaire qu'une victime décorée ! »

---

23. Eliacheff et Soulez Larivière, *Le temps des victimes, op. cit.*

CHAPITRE 4

LES RESPONSABLES POLITIQUES OU
LA MISE EN SCÈNE DE L'IMPUISSANCE

BARACK OBAMA, JUSTIN TRUDEAU, François Hollande, Tony Blair, Emmanuel Macron, Angela Merkel... Tous ces hauts responsables politiques ont été photographiés, un jour ou l'autre, la larme à l'œil, voire laissant franchement l'expression d'un sanglot couler sur leur visage. Dans des circonstances très variées, mais souvent à l'occasion de cérémonies officielles ou lors d'un grand discours, ils ont affiché, volontairement ou non, leur sensibilité. Il est effectivement toujours possible qu'une émotion véritable, inattendue, saisisse un responsable politique. Quoi de plus naturel? Après tout, ce sont des êtres humains comme les autres! Des êtres humains, assurément. Mais comme les autres, non. Ils se trouvent, en effet, à la tête d'États dont les citoyens leur ont confié la destinée. Ils ont tous effectué, pour y parvenir, des parcours difficiles, parsemés d'embûches. Certains ont même dû prendre quelques libertés avec la morale pour occuper, après des années de luttes, la place qui est la leur. Ce type de trajectoire, nécessairement pétri de résistance acharnée aux chocs et aux attaques, leur a permis d'échafauder leur maîtrise de soi. Et l'omniprésence de leurs conseillers en communication incite en outre à douter du caractère totalement spontané des émotions ainsi exposées. Alors que signifient vraiment ces larmes?

Certaines féministes y voient une évolution de la virilité et évoquent les «lacry-mâles[1]». Ainsi, pour la philosophe Olivia Gazalé, «que des hommes, et qui plus est des hommes glorieux et/ou puissants laissent couler des larmes devant les caméras du monde entier est incontestablement le signe d'une prometteuse réinvention de la masculinité hors des stéréotypes sexués traditionnels[2]». C'est peut-être vrai et chacun voit midi à sa porte. Il n'en demeure pas moins que, sincère ou non, la larme n'a rien de neutre, surtout si elle se répand ostensiblement, voire de manière ostentatoire, sous les projecteurs. La larme de politicien crée un effet de proximité avec le citoyen, elle appelle à la ressemblance: «je suis comme vous», dit en substance celui qui la verse alors qu'il se trouve en position de pouvoir. Par un effet miroir, le gouverné se reconnaît ainsi de lui-même dans le gouvernant qui pleure et qui devient en quelque sorte «un autre lui-même». Élus ou candidats recherchent de toute évidence la sympathie et tentent, par cet outil classique de la séduction politique, de se faire aimer, de créer une connivence avec la population.

Dans le même esprit, l'étalage de la vie privée des politiques vise à donner une impression de similitude, de normalité: la vie de famille, la vie de couple, les anecdotes sur l'enfance, le

---

1. Olivia Gazalé, «Les lacry-mâles», *Elle*, n° 3764, 9 février 2018.

2. Olivia Gazalé, *Le mythe de la virilité. Un piège pour les deux sexes*, Paris, Robert Laffont, 2018.

récit du parcours personnel (sous le regard complaisant, voire partisan, des médias) permettent de se montrer proche, désirable aux électeurs. L'efficacité de cet ancien procédé est décuplée par les moyens de communication. Lors des primaires républicaines de 1952, le sénateur républicain Richard Nixon eut recours aux bonnes ficelles de l'attendrissement : accusé d'avoir reçu des pots-de-vin, il admit, lors d'une allocution télévisée demeurée célèbre, n'avoir accepté qu'un seul don, un petit chien pour ses enfants nommé Checkers (échiquier en anglais) en raison de sa couleur noir et blanc. Selon *The Atlantic* (22 septembre 2012), cet épisode aurait suscité un renversement, inédit par son ampleur, des sentiments populaires envers Nixon : le sénateur antipathique aurait ainsi soudainement atteint des records de popularité. Une enquête réalisée en 1999 classe même ce discours parmi les six plus importants du xxe siècle politique américain, juste derrière ceux de Martin Luther King, John F. Kennedy et Franklin Delano Roosevelt... Revoir les images de 1952 en connaissant la suite pour le moins tortueuse de la carrière de Nixon laisse songeur. Sans Chekers, peut-être n'y aurait-il pas eu de Watergate...

Mais attention à l'effet boomerang de cette stratégie de banalisation. Ayant affirmé sa volonté d'être un « président normal », François Hollande prenait ostensiblement le train, sous l'œil complaisant des journalistes, pour effectuer ses déplacements officiels. Ce faisant, il compliquait grandement la tâche des services de sécurité, mais, plus ennuyeux pour lui, il désacralisait sa fonction, jusqu'à être l'un des chefs d'État français les plus caricaturés et les plus moqués de l'histoire contemporaine, une dévalorisation aggravée par les frasques tumultueuses de sa vie sentimentale. Son successeur,

Emmanuel Macron, a sans doute senti le danger en choisissant au contraire de marquer ses distances avec le public ; celui-ci souligne, chaque fois qu'il le peut, la solennité de sa fonction, y compris dans sa gestuelle (appuyée, presque majestueuse) et son pas, volontairement lent dans les cérémonies comme celle, interminable, du soir de sa victoire électorale. Macron contrôle les moindres détails de sa communication et affirme exercer une présidence « jupitérienne », presque stratosphérique, une stratégie qui pourrait se révéler plus payante que celle de M. Hollande. En effet, pour des responsables de ce niveau, l'effet « proximité » peut provoquer des dégâts collatéraux en suscitant une contradiction dans les termes : confie-t-on le bouton de la force nucléaire à quelqu'un qui pourrait être notre voisin de palier, avec les mêmes faiblesses et les mêmes petits travers que nous ?

Le retour de manivelle de l'effet de proximité peut se révéler violent quand la « normalitude » est mal calibrée. Le premier ministre canadien Justin Trudeau a été copieusement moqué pour le soin qu'il avait pris à endosser un costume traditionnel lors d'un voyage officiel en Inde en février 2018 : *sherwani* sur le pantalon *churidar*, tandis que son épouse portait le *salwar kameez*. Il souhaitait ainsi exprimer son amitié, hors de tout discours construit. Or, ses sentiments fraternels pour les Indiens auraient dû l'inciter à se renseigner un peu mieux : il aurait alors constaté que quasiment plus personne ne porte ce type de vêtements en Inde. Mais voilà, les images de la rencontre de la famille Trudeau, en habits traditionnels, avec la star de Bollywood Shahrukh Khan – vêtu à l'occidentale –, ont été la cible de nombreuses railleries au Canada comme en Inde. Omar Abdullah, ancien chef de la province de Jammu-et-

Cachemire, s'interrogeait sur son compte Twitter : « Est-ce que c'est juste moi ou est-ce que cette gentillette chorégraphie est maintenant un peu trop ? Et pour votre information, nous Indiens ne nous habillons pas comme cela tous les jours monsieur, même pas à Bollywood. » À trop vouloir toucher la corde affective au lieu de travailler les raisonnements et les positionnements politiques, on se trompe d'objet. En regardant les images de ce faux pas vestimentaire, on ne peut s'empêcher de penser aux deux Dupondt dans *Objectif Lune*, débarquant dans un poste de police syldave, en costumes traditionnels grecs.

DES DISCOURS CONÇUS COMME DES PRÊCHES

Au-delà du jeu de proximité, le recours à l'émotion coïncide avec ce que certains appellent la « fin des grands récits politiques », tels le marxisme ou les épopées nationales qui servaient de repères et d'aspiration. L'invasion de l'espace social par l'émotion correspond en effet à l'idéologie de la fin de l'histoire, qui fait de la société actuelle le seul horizon possible. Il n'existe plus ni grand soir ni « ailleurs » désirable et, dans un tel monde, le politique n'est plus en mesure d'expliquer le réel ni de le transformer ; il n'est pas en situation de dire où va le monde ; il se contente de le gérer. La larme vient alors remplir le vide laissé par la pensée ; elle excuse et compense l'impuissance face à une société pourrie par les inégalités et gangrenée par les injustices. Dans les années 1990, le premier ministre britannique Tony Blair – porte drapeau du New Labor néolibéral – était passé maître dans l'art des grands discours conçus comme des prêches, ponctués de grandes formules, comme l'emblématique « ne laisser personne sur le bord du chemin », également utilisé par le président socialiste français François Mitterrand. Or, ces sentences sont d'autant plus grandiloquentes qu'elles ne mangent pas de pain, n'engagent à rien. Elles émeuvent sur le moment, mais n'impliquent aucune action concrète; elles n'indiquent pas grand-chose sur le contenu de la politique qu'elles annoncent. Mais malgré le vide pompeux de leurs grandes phrases, Blair et Mitterrand ont réussi à être les artisans des reniements de leurs formations politiques, faisant mener à des gouvernements dits « de gauche » des politiques marquées à droite. Ils ont notamment converti leurs partis au libéralisme économique, aux politiques de l'offre (par opposition au soutien à la demande sociale), et ils ont justifié la mondialisation libérale. À la fin de son second mandat, Mitterrand a même osé affirmer : « contre le chômage, on a tout essayé », compensant dans le même souffle cet aveu d'impuissance honteux par un moralisateur et sentencieux « je fustige ceux qui s'enrichissent en dormant », feignant d'oublier que ses gouvernements avaient favorisé la Bourse, privatisé, organisé la libre circulation des capitaux… En 2017, François Hollande a resservi cette pantomime pitoyable en affirmant sans ciller : « mon ennemi, c'est la finance », prétendant lui aussi vouloir défendre le travail face à ceux qui s'enrichissent en dormant, alors qu'il est le père d'une réforme du Code du travail particulièrement réactionnaire, qui préfigure celle que lancera par ordonnances son successeur Emmanuel Macron[3].

Les grandes phrases moralisatrices servent à masquer des choix économiques et sociaux en contradiction avec les

---

3. Martine Bulard, « Déluge de bombes sur le code du travail », *Le Monde diplomatique*, février 2016.

valeurs affichées. À gauche aujourd'hui, cette dépolitisation se manifeste dans la récupération de la notion de *care*, concept imaginé par les féministes d'Amérique du Nord dans les trente dernières années et utilisé pour définir une version apparemment modernisée de la social-démocratie. Le *care* est présenté comme un moyen d'humaniser une société atrophiée par le repli sur soi et l'égoïsme. On prétend recentrer le fonctionnement collectif sur les rapports humains en accordant plus d'attention aux besoins de chacun. Fraternité ou compassion doivent structurer les comportements pour enchâsser à nouveau la vie quotidienne dans la quête de qualité (être) plutôt que dans celle de la quantité (avoir). Comme l'a bien résumé Martine Aubry lorsqu'elle était première secrétaire du Parti socialiste français, il s'agit d'atteindre une « économie du bien-être », au sens plein du terme, par opposition à une « société du tout-avoir ». Mais, ce faisant, le *care* ménage « la possibilité, dûment moralisatrice, de gauchir la question sociale en questions de société, et de dissoudre le politique, le collectif, dans une morale psychologisante qui aurait l'avantage d'être vertueuse et de ne rien changer à certaines des causes les plus gênantes de l'aliénation, de l'exploitation, de l'humiliation : les structures de l'économie[4] », remarque la journaliste et philosophe Evelyne Pieiller. Il fait ainsi peser sur l'individu tout le poids de l'amélioration sociale en relativisant la responsabilité de l'État et le rôle des services publics. À l'État-providence, il préfère l'investissement de la « société civile » dans l'action caritative, c'est-à-dire une nouvelle forme de charité, et

---

4. Evelyne Pieiller, « Liberté, égalité... "care" », *Le Monde diplomatique*, septembre 2010.

l'exigence du don personnel vient se substituer au combat pour une refondation de la société et de l'économie sur les principes d'égalité et de justice sociale. Le souci d'adoucir les rapports sociaux fait appel à la sensibilité des personnes qui, au nom de ce qu'elles éprouvent en tant qu'êtres humains, et non pas au nom de ce qu'elles pensent, se mobilisent pour améliorer le quotidien de leurs prochains.

Une sorte d'hyperindividualisme fraternel et compassionnel gouverne ainsi les individus en les culpabilisant de leur passivité. C'est le for intérieur qui est sollicité, pas la conscience collective de classe ou simplement l'analyse politique. Dans la perspective du *care*, Evelyne Pieiller explique :

> Les droits de l'homme n'ont de sens que s'ils deviennent droits des hommes, contextualisés, individualisés. Cette demande d'une évolution du citoyen sujet de droit vers l'individu porteur de droits, d'une égalité formelle vers une égalité réelle, les minorités, les femmes, les enfants d'immigrés, les homosexuels… l'ont formulée depuis longtemps. Mais, plus fortement que le multiculturalisme, le *care* en « universalisant » et en développant les potentialités de cette position, rend lisibles les tensions qu'elle inscrit dans la démocratie, quitte à diluer la « chose publique » dans une morale brouillant les frontières qui, précisément, permettent l'existence de cette *res publica*[5].

Pour le fondateur du néoconservatisme Irving Kristol, c'est précisément ce qui fait la gloire de ce courant : avoir réussi à convaincre la grande majorité des citoyens que les frustrations économiques et autres questions sociales sont en vérité des

---

5. *Ibid.*

questions morales, dont la religion a, par ailleurs, la clé[6]. Il s'agirait donc de questions qui relèvent de la conscience individuelle activée par les affects, ce qui équivaut à un refus radical de la société elle-même et rappelle la fameuse formule de Margaret Thatcher: «La société n'existe pas» («*There is no such thing as society*»).

Outre culpabiliser ceux qui subissent les injustices pour détourner l'attention de ceux qui en profitent, le recours à l'émotion permet aussi de clore une discussion sans s'engager. Ainsi, en janvier 2018, le député français François Ruffin interpelle la ministre de la Santé Agnès Buzyn sur la situation des établissements accueillant des personnes âgées en France. Un vaste mouvement de grève venait alors de débuter: les personnels dénonçaient le manque de moyens, les conditions déplorables dans lesquelles ils étaient contraints de travailler, la souffrance des patients, des pensionnaires et la leur en tant qu'accompagnants exerçant, malgré eux, leur fonction d'une manière si peu digne. La ministre prend solennellement la parole dans l'hémicycle; elle répond à l'élu qu'elle comprend, qu'elle mesure la douleur des aidants et des aidés, mais... ne fait rien, n'annonce pas de mesures budgétaires, pas de réforme. Le député dénoncera, avec raison, la fuite en avant «compassionnelle» de la ministre à laquelle il a pourtant demandé, brandissant un carnet de chèques, de faire un geste. Sur le même registre, aux États-Unis, après la fusillade qui a fait 17 morts dans un lycée de Floride en février 2018, le président Donald Trump s'est contenté d'adresser ses «prières» et sa

6. Daniel Bell, *The Cultural Contradictions of Capitalism*, New York, Basic Books, 1978, p. XXIV, XXVII, 69-79, 85 et 155-158.

«compassion» aux familles de victimes tout en refusant de prendre la moindre mesure en faveur du contrôle des armes à feu.

Le premier ministre canadien Justin Trudeau pleure plus souvent qu'à son tour devant les caméras. Les bonnes raisons ne manquent pas, par exemple lorsqu'il met un terme aux discriminations dont sont victimes les personnes LGBT dans l'armée et qu'il joint, contrairement à la ministre française, le geste à la parole en accordant un dédommagement financier conséquent aux victimes de ces injustices d'un autre âge. Il a encore raison lorsqu'il reconnaît les ravages causés sur les populations autochtones par la politique d'assimilation forcée menée par le Canada pendant des décennies. Personne ne peut reprocher à M. Trudeau de vouloir en finir avec des pratiques contraires aux droits fondamentaux, même si certains soulignent le caractère incantatoire de bien de ses déclarations. En revanche, on peut s'interroger sur sa propension à la mise en scène lacrymale. Les démonstrations émotives peuvent effectivement être sincères, mais leur accumulation donne un peu le tournis, voire la nausée. Et comment ne pas voir que le même M. Trudeau dirige un gouvernement qui fait la part belle aux multinationales, aux entreprises ennemies de l'environnement et aux accords de libre-échange, qui sont loin de favoriser un monde fraternel et qui détruisent particulièrement les terres des autochtones pour lesquels il fait pourtant montre de compassion. La violence de son indifférence aux revendications environnementales des Premières Nations est masquée par ses larmes et son jeu de sympathie, mais le visage d'ange de M. Trudeau ne saurait faire oublier que ses amis ont les dents longues. Comme le note la journaliste française Alexandra

Klinnik, « [v]u de l'étranger, le mandat de Justin Trudeau se résume parfois à des photos léchées, prises par son photographe attitré, ou improvisées, relayées par la presse ou ses comptes officiels soigneusement organisés : messages brefs et bilingues pour ses trois millions d'abonnés Twitter, images et vidéos bilingues pour les quatre millions de Facebook, photos plus intimes et familiales sur Instagram. On voit le dirigeant canadien torse nu dans la nature, enlacer des pandas[7]... »

Jouer du violon compassionnel permet de retirer toute dimension idéologique aux discussions et de désamorcer les contradictions. Le président français Emmanuel Macron se fait ainsi le chantre de la « bienveillance » et recommande à qui mieux mieux cette vertu à ses contradicteurs, alors qu'il s'autorise admonestations et coups de gueule contre ceux qui critiquent sa politique. Pourtant, M. Macron, connu pour ses goûts littéraires et ses bonnes manières, n'a pas craint de prendre de haut les associations françaises qui secourent les migrants dans le nord de la France. Dans un discours prononcé lors d'un sommet régional à Rome le 12 décembre, il a jugé « qu'il fallait se garder des faux bons sentiments ». Il entendait ainsi répondre au prix Nobel de littérature Jean-Marie Gustave Le Clézio, qui dénonçait dans *L'Obs* un « déni d'humanité insupportable » dans le traitement des réfugiés. L'attitude quelque peu sentencieuse du président français fait bon ménage avec une utilisation primaire de l'émotion des spectateurs. S'il existe de « faux bons sentiments », il en existerait aussi de « vrais » que le jeune leader se réserve sans doute le

---

7. Alexandra Klinnik, « Justin Trudeau et l'art de la propagande émotive », *Le Monde*, 1er juin 2017.

droit de faire connaître aux citoyens et de partager avec eux. Avant cette fâcheuse anicroche, dès le soir de son élection à la présidence de la République française, le même M. Macron a voulu s'imposer par l'émotion en se mettant en scène dans la prestigieuse et solennelle cour du Louvre, marchant d'un pas lent et savamment pesé, seul et quelque peu martial, tandis que retentissait l'Hymne à la joie de Ludwig van Beethoven.

Variante de la martingale lacrymale, la repentance fait une entrée remarquée dans l'arsenal de la manipulation politique. Les dirigeants occidentaux s'y adonnent avec d'autant plus de commodité qu'elle n'implique pas toujours une volonté ferme de ne pas reproduire les comportements fautifs à l'avenir. Le premier ministre belge Guy Verhofstadt a ainsi présenté des excuses pour la responsabilité de son pays dans le génocide des Tutsis du Rwanda lors d'une cérémonie à Kigali en avril 2000. Mais, comme le souligne le parlementaire européen Louis Michel, chaud partisan de cette démarche, il fallait joindre le geste à la parole : « Si l'on ne peut changer le passé, il est toujours possible de le débarrasser des fantômes qui le hantent. C'est la condition d'un avenir apaisé[8]. » C'est pourquoi M. Michel a encouragé les liens politiques et économiques entre la Belgique et le Rwanda. Il est en effet aisé, par exemple, de condamner les crimes d'une colonisation européenne en Afrique, terminée depuis des décennies, tout en s'accommodant du présent, fait de pillage et de prédation. Verser des larmes sur le passé ne doit pas servir à occulter les crimes d'aujourd'hui. Tout le monde, ou presque, condamne la traite

---

8. Louis Michel, « Quand la Belgique présentait ses excuses au peuple rwandais », *Libération*, 12 septembre 2011.

négrière, mais, parmi ceux des dirigeants occidentaux qui prononcent ces sentences morales, combien se battent pour mettre un terme à l'esclavage en Mauritanie ou à l'asservissement des femmes domestiques en Asie ou dans la péninsule arabique ?

> La pensée dominante, explique André Bellon, se caractérise par une justification des démissions face aux défis extraordinaires d'un tournant historique profond. Loin de mobiliser les volontés, elle privilégie les remords et les condamnations sans conséquence. Non seulement les porte-parole les plus écoutés dégoulinent de bonne conscience, mais ils croient, de plus, faire œuvre novatrice en ressassant les mêmes prêches. On ne peut plus ainsi évoquer la République sans s'indigner des abominations de la colonisation, la nation sans s'apitoyer sur les malheurs de la guerre, le peuple sans évoquer les débordements de violence[9].

Fatalisme

Les responsables politiques s'abritent derrière les références émotionnelles lorsqu'il s'agit de masquer leur impuissance ou de justifier, comme si elles relevaient de la fatalité, les mesures impopulaires qu'ils s'apprêtent à prendre. Il en est ainsi en matière migratoire, où la précaution compassionnelle est de mise avant de se lancer dans l'explication alambiquée de l'impuissance européenne. De François Fillon, député du parti Les Républicains, au premier ministre Manuel Valls, « insoutenable » fut sans doute le mot le plus employé pour qualifier l'image du petit réfugié syrien Aylan Kurdi gisant sans vie sur une plage de Turquie, le 2 septembre 2015, avant qu'on décide

---

9. André Bellon, « Les habits neufs de l'aliénation », *Mémoire des luttes*, 6 septembre 2017, www.medelu.org/Les-habits-neufs-de-l-alienation.

de ne rien faire pour tarir les sources du désespoir migratoire. En 2018, le ministre français de l'Intérieur Gérard Collomb accompagne sa loi joliment nommée «Pour une immigration maîtrisée et un droit d'asile effectif» de rappels compréhensifs à la difficile situation des migrants : il n'en défend pas moins un arsenal répressif inédit en France. Dans un registre moins tragique, les commentateurs ont souligné l'«émotion» du ministre des Affaires étrangères Laurent Fabius scellant, des larmes dans la voix, un accord pourtant bien fragile à la fin de la 21ᵉ conférence des Nations Unies sur le climat (COP21) à Paris. Enfin, devant les maires de France, le 18 novembre 2015, le président François Hollande eut un lapsus révélateur : il évoqua «les attentats qui ont ensangloté la France». Le chef de l'État français se trouvait alors dans une situation que peu de commentateurs ont voulu ou osé relever. En effet, les attentats de 2015 (massacres de la rédaction du journal satirique *Charlie Hebdo* en janvier, du Bataclan, de L'Hypercasher et des terrasses de cafés parisiens) et de 2016 (esplanade des Anglais à Nice) qui ont fait plusieurs centaines de morts ont été conçus en Syrie. Ils ne sont pas dus au hasard, mais à la stratégie de l'organisation de l'État islamique, et auraient donc dû être l'occasion de s'interroger sur la pertinence de la politique étrangère choisie par M. Hollande et son ministre des Affaires étrangères Laurent Fabius vis-à-vis de ce pays du Proche-Orient. En se focalisant sur le départ de Bachar el-Assad, la diplomatie française n'aurait-elle pas retardé la lutte contre le groupe terroriste ? Quelle que soit la réponse qu'on donne à cette question épineuse, force est de constater que ce n'est pas la réflexion mais l'émotion qui s'est imposée dans l'espace public. Cela se comprend sans doute sur le moment, mais plus de trois ans après les faits, faut-il continuer à pleurer ou tenter de réfléchir ? Le recours à l'émotion désarme le débat public.

Le fatalisme est sans doute la véritable raison du recours aux larmes en politique. Pendant qu'on pleure, on ne fait rien, et c'est parce qu'on ne peut pas changer le monde qu'on pleure ; non parce qu'on regrette de ne pas pouvoir le changer, mais parce qu'il serait impossible de le changer. Du moins, c'est ce qu'ont décidé les responsables politiques à partir des années 1980. Ils ont renoncé à modifier la marche des choses et ont tenté de faire accepter aux populations cette conversion à une forme d'impuissance assumée et presque militante. Dans un ouvrage sur le Parti travailliste britannique, la politologue Emmanuelle Avril décrit comment Tony Blair a adopté une « rhétorique réactionnaire qui invite chacun à se soumettre à une évolution que nul ne peut maîtriser ». Soulignant le caractère « implacable » du changement, il proposait non pas de lui résister, mais simplement de le « gérer ». Et Avril de conclure : « [C]es déclarations reflètent le présupposé du caractère inévitable de la mondialisation[10]. » Rappelons, au cas où ce serait nécessaire, que la mondialisation n'a rien d'un phénomène naturel et inévitable : elle a été construite et méthodiquement soutenue depuis la suppression de la convertibilité dollar/or par le président américain Richard Nixon en 1971 (qui a déstabilisé le système monétaire international) jusqu'aux multiples décisions prises au sommet pour encourager la fluidité des mouvements de capitaux. Depuis des décennies, les

---

10. Emmanuelle Avril, *Du Labour au New Labour de Tony Blair. Le changement vu de l'intérieur*, Villeneuve d'Ascq, Presses universitaires du Septentrion, 2007.

institutions financières internationales, l'Union européenne (UE), les G7 et G20 favorisent ces évolutions tout en feignant régulièrement de déplorer leurs conséquences, telles les crises financières et la montée des inégalités. Et quand bien même la mondialisation aurait suivi un cours naturel, rien n'empêche d'en penser une critique et d'en modifier les contours. En 2018, n'assistons-nous pas d'ailleurs à des contestations de la mondialisation de la part des États-Unis, par exemple, sous l'impulsion de Donald Trump ? « Dieu se rit des hommes qui déplorent les effets dont ils chérissent les causes », dit Bossuet.

Dans son ouvrage, Avril souligne encore un aspect intéressant du discours blairiste : la pression du temps. Paradoxalement, dans cette prostration fataliste, il faut aller vite ; attendre serait même coupable. « La temporisation, la réflexion, sont [...] le signe d'un défaut de caractère, l'alternative étant souvent formulée en termes psychologisants ("optimistes" contre "pessimistes"). » Ne pas réfléchir serait donc un signe de dynamisme et de modernité ! Et l'on voit, par prétérition, comment l'émotion peut apparaître comme l'auxiliaire utile d'une pression toute sélective à prendre avec vélocité des mesures décidées d'avance. Les sociétés modernes se trouvent en effet embarquées dans une dictature de l'urgence qui conduit à agir toujours plus vite, à raccourcir par exemple le temps des débats parlementaires au nom de l'efficacité. Certes, lorsqu'une famine se répand en Afrique, comme ce fut le cas durant l'année 2017, le temps presse de toute évidence. Mais est-ce toujours le cas ? L'ensemble des procédures législatives sont aujourd'hui gouvernées par les impératifs du chronomètre : a-t-on besoin de réformer (détruire ?) à toute vitesse les régimes de retraite ou les codes du travail au point de le faire par ordonnances, comme ce fut le cas en France au début de l'été 2017? Et qui décide de l'urgence? On voit bien que certaines questions pourtant essentielles, comme le climat, l'explosion de la pauvreté en Europe ou la crise du logement, ne font pas l'objet du même volontarisme.

Et la gauche, dans tout ça? La ré-articulation du discours politique de l'argumentation raisonnée vers la mobilisation des émotions a des conséquences particulières à la gauche de l'échiquier politique, où le débat a longtemps été structuré par de grandes idéologies issues du marxisme. Or, l'affrontement des forces productives et la lutte des classes ne répondent que très modérément à une grille de lecture calquée sur les affects. Pour les partis et mouvements de gauche, la stratégie de l'émotion s'exprime alors dans de nouveaux points d'ancrage, hors de l'analyse des rapports économiques et sociaux.

Lutte des classes ou défense des minorités

Dans l'histoire des partis progressistes, l'extension du domaine de l'émotion correspond à l'abandon de la lutte des classes comme grille d'explication des phénomènes sociaux et politiques. Les analyses économiques sont désormais remplacées par des discours anesthésiants. On parle notamment d'«exclusion» plutôt que d'injustices ou d'inégalités sociales, parce que les injustices et les inégalités relèvent de politiques et d'actions qu'il faut combattre et renverser, quand l'exclusion a quelque chose de fatal et personne n'en est responsable. C'est comme ça: il existe des inclus et des exclus, des perdants et des gagnants. C'est la vie! Lorsqu'elle était présidente du

Mouvement des entreprises de France (MEDEF), Laurence Parisot avait eu cette formule révélatrice : « La vie, l'amour sont précaires. Pourquoi le travail ne le serait-il pas aussi ? » L'idée que tout cela est le produit d'une logique ou du fonctionnement du système disparaît. La réalité des rapports de forces qui produisent les Annapurna d'inégalités, sur lesquels les organisations internationales et les économistes s'interrogent fin 2017[11], ne peut être qu'une vue de l'esprit et, pire encore, d'un esprit chagrin ! En compensation, on peut s'émouvoir des concerts de soutien aux organisations caritatives et autres soupes populaires modernes mis sur pied par des artistes pleins de bonne volonté sous le regard attendri des médias. Dans ces conditions, c'est l'idée même de politique qui se vide de son sens. Il n'est plus possible de construire une pensée au service de l'intérêt général.

> Parce que la mondialisation est d'abord perçue comme celle d'un capitalisme générateur de chômage et d'exclusion, la nécessité s'impose de moraliser la violence de l'économie de marché dérégulée, résume l'anthropologue Bernard Hours. [...] Dans ce monde irénique, où tout un chacun est bardé de droits, mais sans emploi ni ressources, car le marché ne veut pas de lui, tous les hommes et toutes les femmes sont égaux devant les valeurs morales. C'est ainsi que s'est édifié cet univers postpolitique du XXIe siècle où, à défaut de justice sociale – en déclin vertigineux –, les occupants de cette planète ont le réconfort de se voir répéter qu'ils appartiennent à une vaste communauté éthique, en quête de vérité et d'honnêteté[12].

---

11. Facundo Alvaredo *et al.*, *Rapport sur les inégalités mondiales 2018*, Paris, Laboratoire sur les inégalités mondiales, 2017.

12. Bernard Hours, « L'accordéon de la philanthropie globale », *Le Monde diplomatique*, mai 2013.

Maintenant, le discours politique se structure sur des bases morales et s'axe sur la défense des droits des minorités culturelles, ethniques ou sexuelles. Ces groupes ont effectivement des revendications légitimes et la condamnation des préjugés et des pratiques qui les ostracisent se révèle indispensable. En revanche, on peut s'interroger sur la place prise par leurs préoccupations dans les programmes, par exemple, du Parti démocrate américain, qui a remplacé l'analyse par un sentimentalisme commode et inoffensif. Pour cette formation, diagnostique Tom Frank, « la gauche est une spiritualité apaisante, un sentiment d'empathie pour "l'authenticité" des pauvres et des immigrés, un moyen de leur exprimer qu'on pense à eux de temps en temps. [...] Trop souvent, la gauche incarne la sympathie d'en haut pour les défavorisés, pas leur mouvement en vue de transformer la société[13] ». Cette analyse est bien résumée par l'écrivain conservateur Tom Wolfe : « Des Américains ont eu le sentiment que le Parti démocrate faisait tellement des pieds et des mains pour aller séduire les différentes minorités qu'il en arrivait à négliger une partie encore considérable de la population. À savoir cette partie ouvrière de la population qui, historiquement, a toujours été la moelle épinière du Parti démocrate[14]. » Selon l'auteur du *Bûcher des vanités*, cela pourrait expliquer sinon la victoire de Donald Trump, du moins la défaite d'Hillary Clinton à la présidentielle de novembre 2016. « Durant cette élection, explique-t-il, l'aristocratie démocrate a

---

13. Tom Frank, « Cette Amérique qui vote George Bush », *Le Monde diplomatique*, février 2004.

14. Alexandre Devecchio, « Le politiquement correct, le journalisme, Trump : les confessions de Tom Wolfe », *Le Figaro*, 29 décembre 2017.

pris le parti de favoriser une coalition de minorités et d'exclure de ses préoccupations la classe ouvrière blanche. Et Donald Trump n'a plus eu qu'à se pencher pour ramasser tous ces électeurs et les rallier à sa candidature.» En déportant ainsi son axe politique, les démocrates se sont progressivement éloignés de leur électorat. Même s'ils ont pu accéder à la magistrature suprême avec des figures emblématiques telle celle de Barack Obama, ils ont perdu la bataille idéologique. Le slogan « Yes, we can» (Oui, nous pouvons) traduit davantage une forme d'espoir ou de croyance, un vœu pieux, qu'une analyse raisonnée des rapports sociaux. Le «Make America great again» (Rendons sa grandeur à l'Amérique) de Donald Trump peut même être vu comme une réponse tout aussi sentimentale, venue d'une droite hantée par la peur du déclin et animée d'un fort ressentiment.

En France, un rapport de la fondation Terra Nova, paru en 2007, encourage la gauche française à effectuer le même tournant que son homologue américaine en se concentrant sur la défense des minorités, les unes après les autres, plutôt que dans la défense des «classes populaires». C'est la ligne qu'adoptera François Hollande durant son seul – et unique – mandat présidentiel entre 2012 et 2017. Dans un essai au vitriol, le politologue Mark Lilla décrypte cette erreur stratégique, commise au départ avec une certaine bonne foi, mais marquée par les fausses simplicités d'un sentimentalisme dépolitisant. «Le libéralisme américain subit le sortilège des politiques identitaires. Mue à l'origine par un désir sincère de protéger les plus vulnérables, la gauche a dorénavant inconsidérément balkanisé son électorat, encouragé l'égocentrisme plutôt que la solidarité, et investi son énergie dans des mouvements de société plutôt que dans la politique.» Lilla souligne les conséquences terribles de ces évolutions: «L'individualisme centré sur les identités promues par la gauche a insidieusement rejoint l'individualisme économique amoral des années Reagan pour remodeler un électorat peu sensible à l'idée de futur partagé et à la limite de mépriser l'idée de bien commun. Dans cette conquête de l'imaginaire américain, la gauche a abdiqué[15].» Ainsi, on peut supposer que le succès de la campagne de Bernie Sanders face à Hillary Clinton est dû à la tentative du premier de recentrer le parti sur ses fondamentaux, notamment la critique des inégalités sociales et la lutte contre les méfaits du capitalisme, M. Sanders ne cachant pas ses convictions «socialistes».

Les artistes, qui ont souvent pris fait et cause pour les opprimés dans l'histoire, se retrouvent au passage embrigadés dans les armées compassionnelles du conservatisme social[16]. Nombre d'entre eux participent à des concerts de bienfaisance destinés à collecter des fonds pour les pays frappés par des catastrophes naturelles ou de grandes pandémies. On pense aux événements Band Aid organisés par Bono ou à la tournée des Enfoirés en France pour les Restaurants du cœur. Ces artistes mettent leur notoriété au service de grandes causes humanitaires, comme l'accueil des migrants ou la lutte contre le racisme, mais cette charité moderne ne conteste pas le système. Peut-être même l'entretient-elle en le rendant supportable. On ne compte plus le nombre de films et de pièces de théâtre qui ont pour thème la dénonciation des discriminations raciales, sexuelles ou

---

15. Mark Lilla, *The Once and Future Liberal: After Identity Politics*, New York, HarperCollins, 2017.

16. Guy Hocquenghem, *Lettre ouverte à ceux qui sont passés du col Mao au Rotary*, Paris, Agone, coll. «Contre-feux», 2003.

autres. Ces causes ne souffrent évidemment aucune contestation et les artistes doivent être loués pour l'énergie et les moyens qu'ils consacrent à les faire progresser, mais on est souvent très loin des réalités pourtant difficiles de notre monde. Où est la crise sociale dans la programmation 2018 du Festival de Cannes, qui s'ouvre significativement sur un film sentimental, sous la houlette d'une présidente de jury icône du mouvement #Metoo? Où est le risque de guerre? Où sont les violences faites aux classes populaires? Aux ouvriers des usines délocalisées? Il ne faut pas généraliser, certes – on pense par exemple aux films sociaux de l'acteur Vincent Lindon –, mais la tonalité est là. La comédienne Emmanuelle Devos raconte que, peu de temps avant la cérémonie des Césars en 2002 qui la couronna pour son rôle dans *Sur mes lèvres*, un ami lui a dit: «Tu vas avoir le prix d'interprétation. C'est sûr!» «Pourquoi?» a-t-elle demandé. «Parce que tu joues une sourde. C'est un rôle à César.» Cette anecdote est révélatrice à la fois des progrès réalisés dans la lutte contre les discriminations dont sont victimes les personnes handicapées (ce qui est positif), mais aussi du consensus mou qui s'instaure autour de certaines causes, quand d'autres sont laissées dans l'ombre. «Tout comme, dit-on, on ne croit pas en Dieu au Vatican», résume le poète et romancier Guy Hocquenghem, «l'endroit de France où l'on croit le moins à l'art est ce monde des artistes stipendiés, politiciens souvent refoulés, issus de Mai 68, qui ne croient qu'au Pouvoir, jamais à l'Imagination[17]». Le pouvoir lacrymal s'exerce de manière variable dans le camp du progrès. En outre, le tropisme lacrymal accorde aux marginaux un rôle central:

---

17. *Ibid.*

c'est leur point de vue qui devient celui par lequel la société se voit et se décrit.

Où sont passés les intellectuels engagés prenant fait et cause pour les classes populaires, au risque de longs séjours en prison, comme Beaumarchais dans son *Barbier de Séville* et surtout dans *Le mariage de Figaro*? On est loin de musiciens comme Mouloudji chantant dans les usines en grève en 1936 en France ou des films de Jean Renoir, Marcel Carné, Costa-Gavras. De nos jours, l'anglais Ken Loach, avec ses films qui dépeignent les banlieues ouvrières, fait figure d'exception. À quand un grand film avec nos acteurs oscarisés ou césarisés contre les traités de libre-échange, la destruction des services publics ou, plus positivement, à la gloire des grandes pages de l'histoire de la liberté, du type prise de la Bastille ou, au Canada, l'épopée de Louis Riel (héros du Manitoba)? Mais ça, ça encouragerait peut-être les gens à se révolter...

COMMUNICATION NARRATIVE

L'émotion constitue également un terreau extrêmement favorable aux discours pétris de fausses évidences et autres mensonges du populisme. À la veille de l'élection présidentielle française de 2002, l'agression du retraité Paul Voise, montée en épingle par les médias, a suscité un déluge de discours réactionnaires sur la « lutte contre la délinquance ». Le visage tuméfié du vieil homme a ému le pays entier et le délire sécuritaire de Jean-Marie Le Pen a trouvé une chambre d'échos qui lui a permis de dépasser Lionel Jospin au premier tour. La logique qui régit cette réaction est analogue à la « théorie » de la vitre brisée portée par la droite américaine à partir des années 1980 pour justifier le renforcement de l'État policier au nom de la « tolérance zéro » envers les délinquants, un faux bon sens faisant croire qu'admettre une vitre brisée, c'est admettre l'engrenage vers des délits et des crimes plus graves. En effet, comme l'image évoque une angoissante intrusion dans la vie privée et le risque d'atteintes aux biens et aux personnes, il suffisait à celui qui l'invoquait de l'illustrer d'un fait divers pour entraîner l'adhésion à ce qui est en fait une idéologie sécuritaire. Comme le souligne le sociologue Loïc Wacquant, ce recours à l'émotion favorise l'éclosion d'un « sens commun » sécuritaire qui légitime les choix policiers des gouvernements.

On retrouve ce processus dans les mécaniques empathiques de la communication narrative ou *storytelling*. Selon le sociologue Christian Salmon, auteur du livre de référence sur le sujet[18], cette « tendance [est] apparue dans les années 1980, sous la présidence de Ronald Reagan, lorsque les *stories* en vinrent à se substituer aux arguments raisonnés et aux statistiques dans les discours officiels ». Et Salmon de relater qu'en janvier 1985, le président des États-Unis s'est lancé dans le récit de la vie d'une immigrée vietnamienne dans son discours sur l'état de l'Union :

> Deux siècles d'histoire de l'Amérique devraient nous avoir appris que rien n'est impossible. Il y a dix ans, une jeune fille a quitté le Vietnam avec sa famille. Ils sont venus aux États-Unis sans bagages et sans parler un mot d'anglais. La jeune fille a travaillé dur et a terminé ses études secondaires parmi les premières de sa classe. En mai de cette année, cela fera dix ans qu'elle a quitté le Vietnam, et elle sortira diplômée de l'académie militaire amé-

---

18. Christian Salmon, « La machine à fabriquer des histoires », *Le Monde diplomatique*, novembre 2006.

ricaine de West Point. Je me suis dit que vous aimeriez rencontrer une héroïne américaine nommée Jean Nguyen.

Et naturellement, l'héroïne qui était dans la salle s'est levée sous les applaudissements. Le récit, qui n'a pas d'autre valeur, devient l'argument politique lui-même et le témoignage illustre le propos en même temps qu'il le justifie. Dans le cas de Reagan, il s'agissait, entre autres, de faire accepter l'entrée des États-Unis dans l'ère ultra-libérale en cultivant le mythe américain de la réussite individuelle. Selon Sarah Gaillard-Cherif, la communication narrative fonctionne grâce à des ressorts bien formatés : la référence personnelle (à la fois celle du narrateur et celle du personnage qu'il a choisi), l'abondance de détails concrets plutôt que les références intellectuelles, et une morale universelle généralisante. Selon la directrice de l'agence de conseil en communication Wording Factory, le discours de Barack Obama sur la libération d'Oussama ben Laden, en 2012, est devenu une référence en la matière[19]. Le président y raconte l'histoire d'un soldat qui a participé à cette opération, nous confie ses sentiments et fait appel à nos émotions. « En partant d'un récit concret avec des sentiments simples (l'entente entre les membres de l'équipe du commando contre Ben Laden), il se tourne vers des causes plus grandes et universelles (la solidarité, l'union dans le pays) », explique Sarah Gaillard-Cherif. Soit dit en passant, les conclusions tirées de ces récits sont souvent extrêmement éloignées du récit lui-même. De la capture (et de l'assassinat) de Ben Laden, on déduit qu'il faut aimer le

---

19. Sarah Gaillard-Cherif, « Storytelling politique : le modèle Obama », *HuffPost Tunisie*, www.huffpostmaghreb.com/sarah-gaillardcherif/storytelling-politique-le-modele-obama_b_10565310.html.

drapeau américain et se montrer fraternel entre Américains. Mais l'auditeur ou le spectateur suit l'orateur précisément parce qu'il est porté par ses sentiments et non par sa réflexion.

La communication narrative appartient à l'origine au domaine des techniques commerciales et publicitaires. Afin de séduire la clientèle, on lui raconte une histoire simple et courte qui met naturellement le produit en valeur, mais moins pour ses caractéristiques intrinsèques que pour le rêve qu'il suscite. Le *storytelling* délivre un message avec des images que le spectateur peut facilement assimiler. Les grandes marques mettent ainsi en scène une véritable saga, rappelant leur ancienneté, la figure des «pères fondateurs» sur fond d'images édifiantes, passant habilement du noir et blanc à la couleur. On y voit le créateur du produit, visage bonhomme et air patelin, caresser la tête de son petit-fils dans un atelier ou une cuisine (selon les cas). Des qualités dudit produit, on saura bien peu de choses; l'essentiel est de «faire partie de la légende» du sirop truc, des biscuits machin ou des pâtes tartempion. Le sociologue Christian Salmon évoque un «hold-up» sur l'imaginaire: «Les histoires ont un tel pouvoir de séduction qu'elles se substituent au raisonnement rationnel, tant leur usage "communicationnel" se systématise: une "machine à raconter" bien plus efficace que toutes les imageries orwelliennes de la société totalitaire, et qui tourne désormais à plein régime.» Les spécialistes soulignent la parenté du *storytelling* avec les contes de fées, fiction *in fine* rassurante, édifiante et valorisante. Que le monde politique accepte et assume d'utiliser des techniques de ce genre, c'est-à-dire des astuces commerciales qui visent à déclencher une impulsion d'achat, en dit long sur la dégradation des valeurs publiques. L'électeur est vu comme un consommateur et non comme un citoyen, et le responsable politique, pour sa part, se positionne comme un camelot, voire un bonimenteur.

Mais tout ne fait pas l'objet d'un traitement lacrymal. S'il est fréquent que les élus et membres des gouvernements s'attendrissent sur le sort des migrants jetés sur les routes de l'exil par la guerre ou sur la situation des personnes sans abri en hiver, le destin des classes populaires ne semble pas provoquer la même émotion. On ne voit pas de responsables politiques pleurer sur le sort des ouvrières d'une usine textile qui viennent de perdre leur travail parce que leur employeur a préféré délocaliser son établissement en Asie ou en Éthiopie. Pourtant, le drame de ces salariés est réel. Perdre son emploi quand le taux de chômage est élevé, qu'on habite une région industrielle en déclin et qu'on a une famille à charge peut avoir des conséquences incalculables. Il y a une quinzaine d'années, en France, des salariés avaient eu vent de l'intention de leur patron de fermer l'usine pour s'implanter en Europe centrale et se sont enchaînés aux machines pour tenter d'empêcher la manœuvre. Images terrifiantes que celles d'êtres humains avilis, réduits à faire corps avec des machines qui leur occasionnaient assurément des souffrances quotidiennes. Et quelle chosification de la personne ! Mais la violence de l'ordre social semble échapper au périmètre émotionnel de la classe dirigeante, dont les émotions, comme celles de tout le monde, sont à géométrie variable.

Dans son très polémique discours de Dakar en 2008, le président français Nicolas Sarkozy avait pu affirmer : « Je crois moi-même à ce besoin de croire plutôt que de comprendre, de ressentir plutôt que raisonner, d'être en harmonie plutôt que d'être en conquête... » Plus tard, sa ministre de l'Économie Christine Lagarde (future directrice générale du Fonds monétaire international [FMI]) avait également invité les Français à « agir plutôt que réfléchir ». On imagine aisément la réponse qu'eut pu leur faire le philosophe Condorcet qui écrivait : « Je me défie de ceux qui appellent à mon sentiment dans les choses que je peux décider par la raison. [...] Quand on réfléchit sans préjugé sur les choses humaines, on est émerveillé de voir jusqu'où la superstition peut porter ses excès, et l'on est incertain si l'on dit plus admirer l'aveuglement des peuples ou la hardiesse effrontée de ceux qui les trompent[20]. »

---

20. Nicolas de Condorcet, *Lettres d'un gentilhomme à Messieurs du tiers état*, s. l., s. n., 1789, http://gallica.bnf.fr/ark:/12148/bpt6k41726n/f2.image. texteImage.

Chapitre 5

Chimère de l'authenticité

Parmi toutes les vertus qu'on lui prête, et c'est la caractéristique qui lui donnerait presque valeur de talisman, l'émotion est perçue comme « vraie ». En se fiant à elle, on ne risquerait donc pas de se tromper, car elle nous conduirait au plus près de la vérité, réduite à une certitude sensible. Née des entrailles de l'être humain, elle ne subirait aucune altération et ne pourrait nullement déformer la réalité. Se frayant par elle-même un chemin à la surface du conscient, reçue sans barrière, elle dirait quelque chose de forcément juste. Elle ne saurait mentir. Elle serait, l'épithète s'impose, « authentique ». À ce titre, elle constituerait une sorte d'assurance contre l'erreur et jouerait, dans la vie sociale, le rôle d'argument d'autorité ultime qui met fin au doute, à l'échange raisonné des vues et des opinions ; elle permettrait de « se faire » une idée. Ici aussi, l'émotion mal calibrée ou déportée hors de son champ d'origine participe d'une confusion mentale préjudiciable à l'épanouissement du débat démocratique. Elle rétrécit le citoyen à un être sensible cherchant à se rassurer quand il devrait se livrer à une recherche exigeante de compréhension des enjeux auxquels la société est confrontée.

Afin d'y voir plus clair, rappelons que l'émotion « dit » effectivement quelque chose. Pour cette raison, les psychologues accordent toujours beaucoup d'attention à celles de leurs patients, car ce qu'ils éprouvent malgré eux est un précieux indicateur d'éventuels troubles. En même temps, l'émotion peut se révéler trompeuse : emporté par l'émotion d'un instant, on peut dire des choses qui dépassent notre pensée, on peut commettre des actes regrettables, on peut se tromper d'objet d'affection ou de haine. Si l'émotion dit quelque chose, elle ne dit pas forcément ce qu'il est juste de penser ou de faire. Les grands rassemblements nazis étaient alimentés par l'émotion : exaltation d'être nombreux à faire corps, haine du bouc émissaire désigné (les communistes, les Juifs, les homosexuels, etc.), adoration du Führer présenté comme la solution à tous les problèmes. Les émotions éprouvées dans ce type de rassemblements étaient bien réelles et pourtant très trompeuses pour beaucoup de ceux qui participaient et qui se laissaient entraîner sans pour autant partager vraiment, rationnellement, politiquement, les idées nazies.

Plus trivialement, la théorie des relations publiques a montré comment les émotions pouvaient « mentir » et s'éloigner de toute vérité. En effet, elles peuvent être manipulées, y compris à des fins commerciales. Edward Bernays, publicitaire austro-américain, a consacré de longues recherches à la manière d'orienter les émotions des masses. Ce neveu de Freud était passé maître dans l'art de la manipulation (instrumentalisation) des affects, par leur association immédiate à des objets qui leur sont intrinsèquement étrangers (sentiment de libération et cigarette, par exemple), et ce stratagème, qu'il appela « relations publiques », avait en outre pour vertu de permettre de contourner (lire : sublimer, pacifier) les conflits et la réflexivité politique, l'institution, la citoyenneté, etc. L'usage de l'émotion est ici une manière de déformer la réalité, c'est une modalité centrale de la régulation sociale.

L'association entre « émotion » et « vérité » se révèle donc particulièrement discutable et conduit à confondre plusieurs registres, notamment celui de l'empathie et celui du jugement. Pourtant, cette association est faite en permanence et participe du décervelage global des sociétés à coups de visions réductrices ou carrément fausses. Cette association/confusion est d'autant plus aisée qu'elle valorise le narcissisme ambiant en confiant à l'individu et à son ego le pouvoir absolu de trancher toutes les questions complexes en brandissant un ressenti immédiatement accessible. S'émouvoir est plus simple que penser, ce que démontre bien l'usage de la petite icône « j'aime » sur les réseaux sociaux, symbole du pouvoir démesuré que l'on accorde au ressenti pour déterminer le vrai du faux : en un clic, d'un mouvement d'humeur spontané, le débat est clos, la vérité est révélée.

« Il est authentique »

Pendant les primaires du Parti démocrate en 2015-2016, Bernie Sanders a souvent été qualifié d'« authentique », en particulier face à une Hillary Clinton, archi-préparée, ultra-organisée, toute en maîtrise, toute en calcul. Il est en effet difficile de douter de la sincérité du sénateur du Vermont, mais cette qualité qu'on lui attribue pourrait tout aussi bien s'appliquer à des personnes prônant des valeurs diamétralement opposées aux siennes. Prenons un exemple volontairement provocateur : ne peut-on pas dire d'Adolf Hitler qu'il était, lui aussi, «authentique» et «direct», qu'il «ne jouait pas un jeu», qu'il était «demeuré le même au fil des ans», qu'il «n'avait pas changé d'opinion avec le temps»? La haine professée par Hitler était probablement pour lui une émotion sincère et sa volonté de soumettre l'Europe entière à sa botte, parfaitement constante, voire authentiquement fasciste. Et pour beaucoup d'Allemands, il exprimait un sentiment véritable, celui de l'humiliation imposée par le traité de Versailles et le désir profond de la chasser des mémoires. Compte tenu des indicibles souffrances qu'il a causées et des crimes de masse dont il est responsable, on peut en conclure que l'authenticité ne constitue pas l'argument moral ultime ni une assurance contre l'erreur. L'émotion fournit effectivement une information, mais le sens à donner à celle-ci n'est pas prédéterminé. C'est au citoyen et à la collectivité qu'il appartient de donner à son ressenti une signification. L'émotion est un indicateur de l'état dans lequel se trouve un individu ou une société, mais elle n'indique pas en soi la voie à suivre et ne doit pas faire abdiquer le jugement. Il faudra des années de guerre, des millions de morts et le tribunal de Nuremberg pour détruire le système raciste des nazis et rétablir la civilisation sur ses pieds.

Souvent déçus par la vie politique et son cortège de promesses non tenues, nombreux sont ceux qui cherchent légitimement à assurer leur jugement et pour qui il devient primordial de ne plus se tromper au moment de voter. Les responsables politiques l'ont bien compris et jouent ostensiblement la carte de la «sincérité» et, avec la complicité des médias, se soumettent et soumettent le public à l'injonction émotionnelle, destinée à donner à leur discours les atours de la vérité. En France, l'émission *Une ambition intime* sur la chaîne M6 propose de longs entretiens avec des responsables politiques au cours desquels ces derniers racontent leur enfance, «dévoilent» leur vie privée, font part de leurs sentiments sur toutes sortes de choses qui ont peu à voir avec la politique précisément. Il n'est pas rare de voir les plus bourrus verser une petite larme attendrie sur leur jeunesse, ou en évoquant leurs enfants ou leur conjoint. Dans la presse du lendemain, les commentateurs peuvent alors lancer de triomphants «Dupont a fendu l'armure», une expression floue qui se révèle complètement sans intérêt pour ce qui a trait à l'amélioration des conditions de vie des citoyens.

Mettre l'accent sur les affects sert aussi à compenser la fadeur du débat politique. On cherche ainsi à donner du relief aux candidats et à mettre un peu de sel dans une vie publique qui perd de son intérêt. Autrement, comment faire son choix entre des aspirants au pouvoir qui disent peu ou prou la même chose sur les enjeux majeurs? La personnalité, la capacité à se rendre sympathique, peut faire la différence en l'absence d'autres outils, plus profonds, de distinction. «Celui-là, au moins, il est sincère», pense l'électeur sans forcément aller plus loin. Il n'est pas certain que Winston Churchill et le général de Gaulle n'aient jamais été soucieux de «fendre l'armure» pour se rendre sympathiques en parlant de leur chat et, pourtant, on se souvient d'eux et, souvent, on se surprend à regretter leur stature et leur rigueur même quand on ne partage pas leurs convictions politiques.

On retrouve la posture de la sincérité dans le «parler vrai» dont se réclament nombre de responsables politiques, qui sous-entendent ainsi non seulement qu'ils sont authentiques, mais qu'ils disent, littéralement, la vérité. «Il faut dire la vérité» aux électeurs, répètent, de manière très symptomatique, les responsables publics pour justifier leurs choix. Au Québec,

le parti au pouvoir a fait campagne pour les élections provin-
ciales avec un slogan très révélateur : « On s'occupe des *vraies*
affaires. » Il existerait donc quelque part une Vérité absolue,
indiscutable, à laquelle il faudrait soumettre sans discussion
l'ordre social ? Mais quelle vérité ? Dans quelle grotte de
Lourdes l'ont-ils trouvée ? Ce faisant, ils se posent en oracles de
cette vérité et en gardiens d'une objectivité qu'eux seuls seraient
en mesure de définir. La formule « parler vrai » a notamment
été utilisée par le premier ministre français Michel Rocard, qui
s'en était fait un emblème, pour mieux imposer ses vues.

> Dans le milieu de plus en plus sordide qu'était devenu le monde
> politique, explique André Bellon, son expression était souvent
> interprétée comme la marque de l'honnêteté, en bref « Je dis ce
> que pense, je fais ce que je dis », ce qui, en soi, serait plutôt sympa-
> thique. À bien y réfléchir, ces mots disent autre chose, ils expri-
> ment l'idée que ce que dit Michel Rocard est la vérité, que le
> pragmatisme économique s'impose naturellement, qu'il est
> absurde de croire à autre chose. Il a d'ailleurs, depuis lors, déve-
> loppé cette thèse en expliquant que le libéralisme avait gagné et
> qu'il était illusoire de vouloir s'y opposer. Sa thèse, aujourd'hui
> dominante, consiste à croire que le libéralisme n'est plus une pen-
> sée, une idéologie, mais bel et bien une réalité intangible[1].

Cette prétention à dire le vrai, qui se nourrit du désarroi des
citoyens face à des enjeux aussi cruciaux que difficiles à comprendre, se révèle profondément antidémocratique puisqu'elle
corrompt le débat en permettant à des adversaires politiques
de tenir des discours de vérité complètement antagoniques.
L'authenticité n'est qu'un outil dont se sert celui qui l'invoque

---

1. André Bellon, *Une nouvelle vassalité. Contribution à une histoire politique des années 1980*, Paris, Fayard, 2007.

pour faire taire la contradiction en se parant, au passage, de toutes les vertus.

Engouement pour l'humanitaire

Parmi ceux qui choisissent de se fier à leurs émotions pour ne plus se faire avoir par les politiques, nombreux sont ceux qui se tournent aussi vers l'humanitaire. Les millions, voire les milliards, de dollars versés chaque année en dons dans le monde traduisent un véritable engouement. Il semble plus facile de soutenir les victimes d'un fléau quelconque que de s'engager politiquement dans un monde complexe, estiment ainsi Caroline Eliacheff et Daniel Soulez Larivière, car, au moins, « on est sûr de ne pas se tromper de cause[2] » – ou, du moins, c'est ce que l'on croit. Les associations caritatives et autres organisations humanitaires savent jouer de la corde sensible pour attirer les soutiens sonnants et trébuchants. La grande majorité d'entre elles font certes un travail nécessaire, voire indispensable, souvent dans des conditions difficiles, mais on ne peut occulter le fait que l'univers humanitaire n'est pas toujours reluisant ; il n'a rien du monde des Bisounours, des contes des fées, qui verraient les « gentils » combattre les « méchants », répandre le « bien ». Certaines ONG n'hésitent pas à recourir aux méthodes du marketing, *storytelling* et tout le reste, pour dépeindre de manière souvent misérabiliste, larmoyante et simplificatrice, leurs objectifs et leurs activités. De ce fait, le succès de certaines d'entre elles a peut-être plus à voir

---

2. Caroline Eliacheff et Daniel Soulez Larivière, *Le temps des victimes*, Paris, Albin Michel, 2007.

avec leur talent de communication qu'avec la pertinence de leur action. L'image des bénéficiaires de cette aide n'en sort pas forcément grandie : dans le cas de l'Afrique, le détestable cliché qui montre des hommes et des femmes « vivant la main tendue », éternelles victimes de tout, incapables de se défendre, ont la cote sur le marché des bons sentiments humanitaires. Pour illustrer l'omniprésence de ce discours réducteur, une anecdote : à sa petite fille de dix ans qui, pour obtenir un cadeau, cherchait à l'attendrir en prenant un air triste, un ami sénégalais a répondu en riant : « Ça ne prend pas. Arrête de faire cette tête : on dirait une pub de l'UNICEF. » Malheureusement, au-delà des images émouvantes, les associations se livrent parfois à des guerres de territoire quelque peu pathétiques où elles font preuve de bien plus d'esprit de boutique que de grandeur d'âme. De leur côté, les associations locales se trouvent parfois démunies devant la concurrence des « mastodontes » occidentaux de l'humanitaire. Elles ne font littéralement pas le poids, en matière de moyens et de « plaidoyer » (c'est ainsi qu'on appelle la promotion dans les ONG). « L'aide humanitaire se déploie […] le plus souvent dans des pays comme Haïti et le Tchad, marqués par la pauvreté, les inégalités et la dépendance de l'État. Or, loin d'y échapper, elle tend à se baser sur ces inégalités et à les reproduire », explique le sociologue Frédéric Thomas, qui appelle « à repenser radicalement le fonctionnement de l'aide, à renverser cette relation asymétrique et à en finir avec la dépossession des pouvoirs et de la parole des "bénéficiaires"[3] ».

---

3. Frédéric Thomas, « C'est aux Haïtiens qu'Oxfam doit rendre compte », Centre tricontinental (CETRI), 19 février 2018, www.cetribe/C-est-aux-Haitiens-qu-Oxfam-doit.

L'humanitaire est investi de tellement d'espérances qu'il faut des drames pour lever le voile des croyances dont il s'est lui-même couvert. En effet, on ne pose les questions les plus sensibles (rapports de domination, exploitation, rôle politique des associations, etc.) que lorsque des scandales éclatent, comme les enlèvements d'enfants par l'association L'Arche de Zoé en 2008 en République démocratique du Congo (RDC)[4] ou les révélations, en février 2018, d'abus sexuels commis par des employés de l'association Oxfam en Haïti. L'aura de bonté dont bénéficie l'humanitaire, « n'est que l'envers du désenchantement du politique et de notre paresse intellectuelle et affective », explique encore Frédéric Thomas. « Investi de toutes les vertus, l'humanitaire doit nous laver des complications politiques et de notre impuissance. On juge de son efficacité et de sa légitimité sur la base de son propre discours d'autolégitimation et au prisme de notre (bonne) volonté de faire le bien. Et ceux-ci font écran à toute analyse critique, à tout questionnement. C'est cet écran que le scandale Oxfam est venu briser, en obligeant chacun et chacune à reconsidérer l'aide au miroir des inégalités. »

Le discours de l'humanitaire n'est pas toujours celui de la raison. Certaines causes deviennent ainsi « à la mode » tandis que d'autres peuvent demeurer dans l'ombre, malgré l'urgence. Il en est ainsi de certaines pandémies meurtrières comme le sida, dont les dégâts ont pu, un temps, éclipser d'autres pathologies assassines comme le paludisme. La lutte contre certaines grandes maladies peut aussi contribuer à

---

4. Michel Galy, « À Kinshasa, aventuriers africains et professionnels occidentaux », *Le Monde diplomatique*, septembre 2008.

détourner le soutien essentiel aux infrastructures de santé. Selon un schéma semblable, le Burkina Faso, sans doute apparu sur les écrans radars grâce à la révolution populaire menée par le charismatique Thomas Sankara entre 1983 et 1987, a plus d'ONG par habitant que n'importe quel autre pays du monde... et en tout cas hors de proportion par rapport à ses besoins.

Pour utile qu'il soit, le monde de l'humanitaire ne saurait, en l'absence de recul et de réflexion, être le monde de la vérité, du Bien contre le Mal. Sans compter qu'il appartient au registre de l'après-coup, de la réaction aux événements, alors qu'il est devenu indispensable de travailler sur les causes des catastrophes et à leur prévention. «L'urgence humanitaire, née dans les années 1980, s'inscrit dans le dispositif moral international», souligne l'anthropologue Bernard Hours.

> Vingt-cinq ans d'urgence humanitaire ont mis en orbite autant qu'en scène des ONG devenues des entreprises de moralité, qui se sont développées dans l'échec du développement, désormais consommé. L'urgence serait d'autant plus pressante qu'elle serait morale, comme nous le rappellent tous les messages ressassés dans les publicités, y compris dans la rue. Les marchandises humanitaires, la bonne conscience sont désormais en vente libre. Les causes sont périssables, mais l'étal demeure. Il trouvera place un jour prochain dans les centres commerciaux, à côté des salons de coiffure et des centres de bronzage. L'urgence est le levier qui a décuplé l'efficacité des messages humanitaires mis sur le marché des émotions fugaces. Elle permet d'aller vite pour ne pas trop réfléchir à ce que l'on fait, ni aux conséquences de ce que l'on fait. La solidarité n'y est qu'un prétexte ou un habillage factice, tant il faut se dépêcher... Les termes évoqués nous placent donc face à un champ idéologique, moral, politique – économique, même, puisqu'il y a marché – dont la solidarité est le maître mot, l'em-

blème, l'intention affichée. S'occuper d'autres que soi n'a pourtant pas nécessairement à voir avec la solidarité[5].

Derrière l'étalage des bons sentiments se construit un monde confus, fait de logiques marchandes, de solidarité erratique, d'entraide mal pensée, d'exhibitionnisme, d'affichage égotiste, que résume bien le défi du seau d'eau glacée. Le *ice bucket challenge* consiste à se faire filmer pendant que quelqu'un vous jette un seau de glace sur la tête afin de collecter des dons pour lutter contre une maladie.

Dans le domaine de la politique étrangère, la primauté de l'émotion favorise les embrigadements guerriers des philosophes médiatiques toujours prêts à soutenir une guerre «humanitaire», à l'instar de Bernard-Henri Lévy et son rôle dans la désastreuse expédition de Libye en 2011. En brandissant des photos de villes en ruine, d'hommes, de femmes et surtout d'enfants qui fuient sur les routes de l'exil, on produit immanquablement des sentiments d'indignation et de consternation. Avec l'aide des médias, monsieur Lévy a su se servir de ces outils pour pousser à l'intervention franco-anglaise en Libye. Pourtant, et la suite des événements l'a malheureusement confirmé, la situation était bien plus compliquée qu'un scénario opposant de gentils rebelles au méchant Mouammar Kadhafi. La propagande qui s'adressait presque exclusivement à la sensibilité du public a empêché celui-ci de décrypter la réalité libyenne et d'anticiper les conséquences tragiques du renversement du dictateur, notamment l'éclatement du pays et la déstabilisation du Sahel. Ainsi, dans une réflexion aussi juste

---

5. Bernard Hours, «L'accordéon de la philanthropie globale», *Le Monde diplomatique*, mai 2013.

qu'inquiétante sur l'ingérence humanitaire, le fondateur de Médecins sans frontières (MSF), Rony Brauman, invite les Occidentaux à la modestie et à se défaire des postures morales, notamment lorsqu'ils recourent à la force : « Du point de vue de ce rapport à la vérité en situation de guerre, démocraties et dictatures ne sont pas très différentes, à ceci près, peut-être, que les démocraties convoquent plus volontiers la morale quand les dictatures se réclament de la sécurité et de la souveraineté[6]. »

De manière générale, on ne perçoit pas toujours spontanément le sens d'un drame. C'est l'analyse du contexte et de l'enchaînement des causes et des effets qui fournit les clés de ce qui est en train de se passer. Au moment du génocide des Tutsis au Rwanda en 1994, les télévisions occidentales en ont appelé à l'émotion humanitaire sans avoir suffisamment appréhendé la situation : elles se sont apitoyées sur des colonnes de réfugiés désemparés avant de se rendre compte qu'il s'agissait en fait de criminels en fuite vers la RDC… Au titre des autres célèbres manipulations des sentiments de l'opinion publique, rappelons le faux témoignage de la fille de l'ambassadeur du Koweït devant le Congrès des États-Unis en 1990, décrivant des drames imaginaires dans son pays, envahi par l'Irak de Saddam Hussein. Ce faux témoignage contribua à pousser les élus américains à soutenir la première guerre du Golfe, où une coalition autorisée par l'Organisation des Nations Unies (ONU) a permis de libérer le Koweït. L'émotion se substitue au raisonnement, parfois pour de « justes causes », parfois à des fins de propagande qui n'ont rien à voir avec l'intérêt général. Une bonne dizaine d'années

---

6. Rony Brauman, *Guerres humanitaires ? Mensonges et intox*, Paris, Textuel, coll. « Conversations pour demain », 2018.

plus tard, le 11 février 2003, à Nashville, le président américain George W. Bush, en pleine préparation de l'agression militaire contre Bagdad, appelle à mobiliser les *armées de la compassion*, donnant un sens inédit à ce mot. Parfaitement illégale, cette guerre lancée par Washington va ramener l'Irak à «l'âge de pierre». Les dégâts humains seront considérables, en particulier sur les populations civiles. Avec ses armées de la compassion, M. Bush révèle comment, par un relativisme paroxystique, le recours à l'émotion, qui ne se juge ni ne se démontre, vide les mots de leur sens, et en fait autant avec la réalité. En effet, qui pourrait refuser au président américain le droit d'éprouver de la compassion, même si ce n'est pas la nôtre? «La solidarité internationale est un concept aussi flou qu'il est sélectivement invoqué», note l'anthropologue Bernard Hours. «Quand un chef d'État le brandit pour envahir un autre pays, il nourrit une rhétorique politique agressive débouchant sur des conflits armés (Kosovo, Irak, Libye, Syrie) qui font de multiples victimes civiles ainsi sauvées des dictatures, mais pas de la mort. [...] C'est dire que la solidarité internationale ressemble à un accordéon: sa musique dépend de celui qui en joue. Elle demeure fréquemment une aspiration creuse ou factice. Pour être opératoire, elle suppose de savoir à qui elle s'adresse et de quel sujet on parle[7].» Les guerres provoquent toutes sortes de dégâts et de chaos: il faut donc les justifier. On commence par transformer l'ennemi en «nouvel Hitler» – Saddam Hussein, Slobodan Milošević, Bachar el-Assad, voire Kim Jong-un, subissent cette comparaison peu flatteuse et fausse la plupart du temps même si aucun d'eux n'est un enfant de chœur –, puis on

---

7. Hours, «L'accordéon de la philanthropie globale», *loc. cit.*

mobilise l'émotion en montrant des victimes meurtries (parfois on en invente, comme dans l'affaire de la fille de l'ambassadeur du Koweït), puis on euphémise leur réalité, par exemple en parlant de «frappes» au lieu de bombardements.

PHILANTHROCAPITALISME

Au même titre que les États belliqueux, les grandes entreprises ont parfaitement compris le parti qu'elles pouvaient tirer de l'action humanitaire ou caritative et ont développé d'infaillibles techniques de tissage de la fibre émotionnelle pour détourner l'attention, polir leur image ou redorer leur blason. Il suffit par exemple de consulter le site de la Fondation Total pour oublier en quelques minutes que l'extraction de pétrole est l'une des activités les plus polluantes de la planète, et que cette entreprise ne tient pas un compte très scrupuleux de ses amitiés et de l'état de la démocratie et des droits de la personne dans les pays où elle fait sa fortune. En effet, la page d'accueil tirerait des larmes d'émotion à un pain de glace tant on y voit d'«initiatives innovantes» et «collaboratives» en prise «avec le terrain»: «Nous avons enclenché la dynamique vertueuse de l'innovation citoyenne, le champ des possibles n'a jamais été aussi ouvert», y est-il fièrement proclamé.

Par l'amalgame apparemment paradoxal qu'il instaure, le philanthrocapitalisme contribue, *in fine*, à faire accepter le fonctionnement de l'économie mondiale dont il dilue et propage les valeurs. Pour le décrire, le politologue Michael Edward évoque un système qui «promet de sauver le monde en révolutionnant la philanthropie, en faisant travailler les associations à but non lucratif comme des entreprises, et en créant de nouveaux marchés pour les biens et les services qui profitent à la société[8] ». Mais il arrive que ces fondations soient rattrapées par leurs contradictions. Ainsi, le *Los Angeles Times* a révélé que la fondation Bill et Melinda Gates, qui finance des programmes de vaccination contre la poliomyélite en Afrique, était commanditée par l'Ente Nazionale Idrocarburi (ENI), fleuron des entreprises pétrolières italiennes dont les torchères sont responsables d'émissions de gaz très toxiques qui n'épargnent pas les poumons des enfants vaccinés. Et le journal américain de citer le cas de petits garçons nigérians du village d'Ebocha, dans le delta du Niger, immunisés contre la polio, mais souffrant de graves pathologies respiratoires contractées à l'ombre des infrastructures d'ENI. Parmi les donateurs de la fondation Gates, on distingue de nombreuses autres entreprises épinglées pour non-respect de l'environnement, discriminations à l'embauche et non-respect du droit du travail[9]. Et pire encore, pour consolider ses revenus, la fondation ferait elle-même partie de holdings aux côtés de ces sociétés incriminées : au moment où elle dépense 218 millions de dollars dans la lutte contre la polio, la fondation investit donc 423 millions de dollars dans les groupes pétroliers ENI, Royal Dutch Shell, Exxon Mobil Corp.,

8. Michael Edwards, *Just Another Emperor? The Myths and Realities of Philanthrocapitalism*, New York, Demos, 2008 ; Gales Gabirondo, « A New Philanthropo-Capitalist Alliance in Africa », *Global Policy Forum*, 31 mars 2008, www.globalpolicy.org/component/content/article/217/46148.html.

9. Charles Piller, Edmund Sanders et Robyn Dixon, « Dark Cloud over Good Works of Gates Foundation », *Los Angeles Times*, 7 janvier 2008, http://www.latimes.com/news/la-na-gatesx07jan07-story.html.

Chevron et Total[10]. Il y a de nombreux autres exemples de ces tête-à-queue compassionnels. Ainsi, l'Unesco s'est-elle associée à L'Oréal pour décerner, chaque année, le prix Pour les femmes et la science. Très bonne idée, effectivement, que d'encourager les femmes à investir les filières scientifiques. En revanche, on serait en droit de se demander si l'intention du géant du cosmétique ne serait pas de faire oublier sa contribution à l'asservissement des filles à ce qu'on appelle le « complexe mode-beauté[11] », comme on dit le « complexe militaro-industriel ».

Derrière un apparent désintéressement, les organismes de philanthropie poursuivent des intérêts qui sont loin, justement, d'être purement philanthropiques, et elles s'associent souvent à des entreprises qui se servent de leur image pour gagner des marchés et faire reluire la leur. Par exemple, la « nouvelle révolution verte », destinée à nourrir l'Afrique, et proposée par les fondations Rockefeller, Bill et Melinda Gates, et Ford, dans les années 2000, fait la part belle aux géants de l'agroalimentaire qui promeuvent notamment les semences et les céréales transgéniques. On y retrouve d'ailleurs des sociétés comme Monsanto. Bien entendu, les discours promotionnels masquent ces visées prosaïques derrière de grands objectifs qui ne peuvent qu'obtenir l'adhésion générale : éradiquer la pauvreté et « galvaniser » la production alimentaire.

Mais il ne faut pas oublier que la « philanthropie » des fondations ne s'ajoute pas à une aide existante. Elle vient au contraire

---

10. Anne-Cécile Robert et Jean-Christophe Servant, *Afriques, années zéro. Du bruit à la parole*, Nantes, L'Atalante, 2008.

11. Mona Chollet, *Beauté fatale. Les nouveaux visages d'une aliénation féminine*, Paris, La Découverte, coll. « Zones », 2012.

combler un désengagement des puissances publiques. Ce phénomène de vase communiquant ne doit évidemment rien au hasard. Il correspond à la vision libérale de la société où l'auto-organisation des acteurs privés sert à résoudre un certain nombre de problèmes d'ordre public, comme la pauvreté ou la famine. Le serpent se mord la queue : l'État, dans sa version libérale, abandonne ses missions ; les entreprises s'engouffrent dans la brèche ; l'État n'a plus besoin d'intervenir. Devant la pauvreté et la faim, personne ne contestera la nécessité d'agir, fut-ce au prix d'un douteux mélange des genres. Et voilà comment la dépolitisation lacrymale continuera ainsi d'alimenter le feu de l'ultra-libéralisme tout en permettant de juteux profits.

Figure de l'opprimé

L'imaginaire réducteur de l'émotion attribue logiquement toutes sortes de vertus à celui qui souffre. Le dominé ne saurait être mauvais, car il est en situation d'infériorité. C'est ce qu'exprime Jean-Paul Sartre par cette formule : « Le vrai point de vue sur les choses est celui de l'opprimé. » Bien des années plus tard, en pleine crise des réfugiés en 2018, Jacques Toubon, Défenseur des droits en France, semble reprendre l'idée du philosophe lorsqu'il affirme que la manière dont son pays traite les exilés « permet de mesurer à quelle distance nous nous trouvons des droits fondamentaux. La population des étrangers et des migrants n'est pas une minorité à part, elle incarne les plus faibles d'entre nous tous[12] ». Si l'on peut en

---

12. Maryline Baumard, « Pour Jacques Toubon, "le demandeur d'asile est mal traité" par le projet de loi sur l'immigration », *Le Monde*, 22 février 2018.

effet juger une société au sort qu'elle réserve aux plus démunis, on ne saurait s'en tenir à cela. L'empathie ou la colère suscitée par le sort réservé au faible n'est qu'un des critères par lesquels on évalue la santé démocratique d'une société. La situation de ceux qui sont en bas de l'échelle peut effectivement servir d'aune à laquelle on apprécie les choix collectifs. En revanche, en déduire que l'opprimé est forcément vertueux relève d'une vision irénique du monde. Le dominé peut parfaitement être, en même temps, quelqu'un d'ignoble, cela n'enlève rien au caractère odieux de la domination qu'il subit. En France, en octobre 2017, une femme a été violemment frappée et laissée pour morte par le sans-abri qu'elle venait de recueillir. La dénonciation de ce crime n'est évidemment pas contradictoire avec une condamnation de la crise du logement. Non seulement la larme dépolitise, mais elle peut altérer le jugement au point d'inciter une femme seule à accueillir un parfait inconnu chez elle. Une histoire semblable, tout aussi vraie, montre un homme ayant décidé de vivre avec un ours sauvage. Étrangement, un jour, l'animal l'a tué d'un coup de patte…

Dans un tout autre ordre d'idées, mais toujours pour montrer à quel point il est parfois difficile de concevoir que l'opprimé peut être un monstre, rappelons le torrent d'insultes qu'a essuyé Hannah Arendt lorsqu'elle a mis en lumière, dans un article fameux du *New Yorker*[13], la responsabilité de certains dirigeants communautaires juifs dans la déportation d'autres Juifs. La philosophe ne faisait, en l'occurrence, que rendre compte de ce qu'elle avait vu et entendu au procès d'Adolf

---

13. Hannah Arendt, «Eichmann in Jerusalem», *The New Yorker*, 16 février 1963.

Eichmann à Jérusalem. Mais l'émotion suscitée par l'immensité des crimes nazis ne s'accordait pas plus avec cette réalité de la victime-bourreau qu'avec la « banalité du mal ». La présence de nombreux réfugiés en Europe depuis 2015 conduit à des tensions sociales qu'une grille émotionnelle binaire ne permet pas toujours d'appréhender. L'accent mis sur la compassion conduit en effet trop souvent à faire de l'opprimé une icône moderne, unidimensionnelle, immaculée. La presse et les responsables politiques éprouvent par exemple les plus grandes difficultés à évoquer les exactions commises par certains (très minoritaires) exilés sur le sol européen, notamment contre des femmes, à Cologne, par exemple, lors des fêtes de la fin d'année 2015. Ce que dénoncera pourtant, avec un certain courage, l'écrivain algérien Kamel Daoud : « [L]'accueil des réfugiés demande d'admettre que leur donner des papiers ne suffira pas à les guérir du profond sexisme qui sévit dans le monde arabo-musulman[14]. » On peut à la fois lutter pour améliorer le sort des migrants et porter un regard lucide sur les conséquences sociales de leur présence.

Contrairement à la fabrique émotionnelle d'icônes à révérer, chercher à ne pas se tromper en matière politique et même sociale implique surtout d'exercer sa faculté de jugement et de replacer les émotions dans leur périmètre. Il n'existe pas, à proprement parler, de vérité préconçue qu'il faudrait simplement chercher et mettre au jour. Les faits peuvent en effet être interprétés de manière très différente et ne peuvent pas toujours, au bout du processus démocratique, imposer telle ou telle option.

---

14. Kamel Daoud, « Cologne, lieu de fantasmes », *Le Monde*, 31 janvier 2016.

Par exemple, constater que les trains n'arrivent pas à l'heure peut conduire soit à décider la privatisation du rail, soit le renforcement des moyens financiers du service public. Les événements sont les mêmes, les conclusions diamétralement opposées. C'est le débat public, avec toutes ses contradictions, qui leur donne sens quand l'émotion vise à créer des unités de façade. Un responsable politique et un journaliste qui font pleurer sur un accident de train ne font rien d'autre que tétaniser le jugement du citoyen. C'est la vision qu'on a de l'intérêt général, les valeurs auxquelles on adhère, qui permettent de choisir. L'émotion peut attirer l'attention, mais elle ne permet pas forcément de comprendre et de prendre la bonne décision.

CHAPITRE 6

ÉMOTION CONTRE RAISON ?

« Jouons cartes sur table : nous pensons que la possession de la faculté de sentir suffit à garantir des droits ina-
liénables aux animaux », écrivent les philosophes canadiens Sue
Donaldson et Will Kymlicka[1]. Les auteurs de *Zoopolis*[2] s'interrogent : « Quel est notre devoir à l'égard d'animaux dont nous
avons fait une caste dominée au sein de notre société ? Lorsque
nous avons créé une caste d'humains dans la société – comme
dans le cas des esclaves ou des travailleurs engagés –, la justice
exige qu'on les reconnaisse comme membres à part entière de
la société. » Ainsi donc, de la simple faculté de sentir, les deux
penseurs ne déduisent pas seulement que les humains doivent
avoir des égards pour les animaux, ce qui relèverait d'une forme
élémentaire de rejet de la cruauté envers des êtres vivants et
n'impliquerait que la définition de devoirs des Hommes envers
les bêtes. Non, Donaldson et Kymlicka vont bien plus loin et en

---

1. Sue Donaldson et Will Kymlicka, « Étendre la citoyenneté aux animaux », *Tracés. Revue de Sciences humaines*, hors-série, 2015.
2. Sue Donaldson et Will Kymlicka, *Zoopolis. Une théorie politique des
droits des animaux*, Paris, Alma, coll. « Essai et société », 2016.

concluent que les animaux domestiques doivent avoir des droits, notamment dans le domaine civique et, pour se justifier, ils n'hésitent pas à les comparer aux esclaves. « Remarquons que la domestication rend la citoyenneté possible. La citoyenneté est une relation de coopération, précisent-ils notamment, et pour considérer quelqu'un comme son concitoyen, il faut donc qu'existe la possibilité d'une confiance, d'une communication, d'une coopération et d'une proximité physique. »

La thèse de Donaldson et Kymlicka synthétise la vaste confusion philosophique à laquelle conduit la survalorisation des émotions dans nos sociétés, et fait ressortir les conséquences politiques dramatiques qu'elle peut engendrer à son tour. La faculté de l'animal à ressentir sert ici d'axiome pour abolir tout ce qui le distingue des êtres humains. Or, ce que ne mesurent peut-être pas les deux philosophes canadiens, c'est qu'en disant qu'un animal peut équivaloir à un être humain, ils disent également l'inverse : qu'un être humain peut équivaloir à un animal. Mettre le signe d'égalité entre deux termes fonctionne dans les deux sens. Ce faisant, ils font tomber les barrières patiemment érigées depuis des siècles, notamment à partir de la Renaissance, pour protéger l'Homme de toutes sortes de situations dégradantes. L'humanisme, qui donnera les droits de l'Homme au XVIII siècle, crée un statut spécial pour les humains afin d'éradiquer les mauvais traitements dont ils sont souvent l'objet. Il tisse un cordon sanitaire autour de lui, et c'est ce dispositif contre l'abêtissement de l'Homme que Donaldson et Kymlicka désamorcent au nom des droits des animaux.

Ceux-ci s'embourbent d'ailleurs en tentant de justifier l'attribution de droits à certains animaux et pas à d'autres : « Si l'on prend un instant le temps de réfléchir à ce qu'impliquerait le fait de partager le *demos* avec des cobras, des baleines bleues ou des tigres du Bengale, on perçoit plus clairement les caractéristiques des humains et des animaux domestiques qui nous permettent de créer des liens, de nous livrer à des activités coopératives, et de partager un espace physique.» Leur logique frise carrément l'obscène lorsqu'ils comparent les animaux aux esclaves: n'est-ce pas aussi parce qu'on prétendait que les Noirs étaient des humains semblables aux animaux – une ressemblance que l'on soulignait d'ailleurs en les exposant dans des zoos – qu'on eut tant de facilité à les asservir, aucun obstacle moral ne pouvant plus s'y opposer?

Certes, l'Homme – en tant qu'espèce – appartient à la famille des mammifères. Mais il possède une faculté qui le distingue radicalement: il est doué de raison. Son cerveau lui permet d'analyser, de comprendre et de dominer son environnement, voire de modeler et remodeler cet environnement (avec les conséquences négatives que cela peut avoir, par exemple sur la nature). On retrouve ces distinguos fondamentaux dans une célèbre anecdote mettant en scène Diogène et Platon: le dernier venant à peine de définir l'homme comme un animal à deux pattes sans plumes, le Cynique aurait plumé un poulet avant de s'exclamer: «Voici l'homme selon Platon!» N'en déplaise à Platon, l'être humain détient la capacité de se projeter dans le temps, d'anticiper, de construire et de transmettre une pensée qui lui est propre. Il possède, au moins potentiellement, la conscience du bien et du mal. «Seul l'Esprit, s'il souffle sur la glaise, peut créer l'Homme», écrit Antoine de Saint-Exupéry[3].

---

3. Antoine de Saint-Exupéry, *Terre des hommes*, Paris, Gallimard, coll. «Folio», 1972 [1939].

La raison, étant le propre de l'être humain, tire un trait d'inégalité à la fois dissuasif et salvateur entre l'humanité et le règne animal. Tous les humains sont égaux par la nature et donc également titulaires de droits. Briser cette équation au profit d'une autre, dont on peine par ailleurs à distinguer les vaseux contours, autorise l'instauration de discriminations, en fait ou en droit, et ouvre une brèche dans la muraille qui protège la dignité de l'Homme. La stratégie de l'émotion se déploie ici dans toute sa puissance : elle rétrécit l'humain, le banalise, le recroqueville sur son animalité en relativisant ce qui l'a élevé depuis les cavernes, c'est-à-dire sa capacité à penser.

DÉCLASSEMENT DE LA RAISON

Le remplacement de la reconnaissance de devoirs à l'égard du règne animal par l'idée que les animaux ont des droits n'est qu'une des manifestations du déclassement de la raison dans les sociétés modernes. C'est un des piliers de l'humanisme et de la démocratie qui vacille sur ses bases. L'humanité s'est construite en partie grâce au développement du cerveau humain qui nous a donné les moyens de raisonner et de maîtriser notre quotidien tout en anticipant l'avenir, mais l'hyper-émotivité compromet gravement cette capacité. On l'a déjà démontré à l'échelle de la société et de la *polis*, l'émotion abolit la distance entre le sujet et l'objet ; elle écrase les échelles temporelles ; elle empêche le recul nécessaire à la pensée ; elle prive le citoyen du temps de la réflexion et du débat. « L'émotion s'impose dans l'immédiateté, dans sa totalité », nous explique Claude-Jean Lenoir, ancien président du cercle Condorcet-Voltaire. « Elle s'impose au point que toute conscience est émotion, est cette émotion. L'émotion demeure l'ennemie radicale de la raison : elle n'essaie pas de comprendre, elle "ressent". » L'émotion pose un redoutable défi à la démocratie, car il s'agit, par nature, d'un phénomène qui impose au citoyen une position passive et le contraint à réagir au lieu d'agir. Il s'en remet à son ressenti plus qu'à sa raison. Ce sont les événements qui le motivent, pas sa pensée. Pensé comme *a priori* authentique, le ressenti fait loi. « L'émotion est subie. On ne peut pas en sortir à son gré, elle s'épuise d'elle-même, mais nous ne pouvons l'arrêter », écrivait Jean-Paul Sartre. « Lorsque, toutes voies étant barrées, la conscience se précipite dans le monde magique de l'émotion, elle s'y précipite tout entière en se dégradant [...]. La conscience qui s'émeut ressemble assez à la conscience qui s'endort[4]. »

Tout l'enjeu de la démocratie réside dans l'émancipation des individus qui conquièrent leur autonomie, s'instruisent collectivement les uns les autres et acquièrent la conscience d'un destin commun. Le projet démocratique est celui d'une élévation de l'homme au-dessus de lui-même, jusqu'à devenir un individu tout entier, à la fois en pleine possession de ses capacités intellectuelles et sensorielles, et solidaire des autres dans la dynamique du contrat social. « Nous voulons que toute l'humanité soit un surhomme », disait Jaurès. Plus tard, dénonçant la guerre et son crime suprême lorsqu'elle tue des enfants, car elle insulte l'avenir, Antoine de Saint-Exupéry écrira : « Ce qui me tourmente, ce n'est point cette misère, dans laquelle,

---

4. Jean-Paul Sartre, *Esquisse d'une théorie de l'émotion. Psychologie, phénoménologie et psychologie phénoménologique de l'émotion*, Paris, Le Livre de poche, 2000 [1938].

après tout, on s'installe aussi bien que dans la paresse. Ce qui me tourmente, les soupes populaires ne le guérissent point. Ce qui me tourmente, ce ne sont ni ces creux, ni ces bosses, ni cette laideur. C'est un peu, dans chacun de ces hommes, Mozart assassiné[5].» C'est cette ambition humaniste pour l'Homme à laquelle nos sociétés sont en train de tourner le dos. Là encore, il ne s'agit pas d'éliminer les affects, mais de les mettre au service d'une intelligence du monde, d'en faire des leviers qui nourrissent la raison sans la remplacer.

La mécanique des réseaux sociaux se révèle emblématique de cet état irréfléchi et purement réactif, qui maintient les individus dans une sorte d'éternel présent qui entrave leurs capacités d'élévation. «On doit cet état de fait contemporain sans doute aussi à l'influence et à l'émergence des réseaux sociaux», nous confie ainsi Claude-Jean Lenoir. «De distance, aucune! On "tweete", on "gazouille" à tour de bras. Se dégradent le sens critique, la culture, la recherche de la vérité. On "balance".» Emporté par le tourbillon de l'instant, le citoyen clique plus vite que son ombre; de ce fait, il «est agi» plutôt qu'il n'agit. Le scandale Cambridge Analytica souligne la perversité de cette situation. Les réseaux sociaux mettent en valeur la réaction émotive des usagers et ainsi les incitent à extérioriser, à mettre en scène leur ressenti. Les désirs et croyances de chacun sont ainsi accessibles à quiconque est prêt à les acheter pour s'en servir à des fins commerciales ou politiques, puisqu'il y a désormais un flou entre les deux domaines. On sonde les préférences de chaque individu en fonction de ses «j'aime», on

---

5. Saint-Exupéry, *Terre des hommes, op. cit.*

repère ceux qui sont susceptibles d'être manipulés, et on les assaille.

C'est aussi pourquoi les feux de brousse prennent si aisément sur les réseaux sociaux. L'incendie qui se propage sans fin et semble se renouveler sans cesse suscite également l'esprit de meute. Le suivisme et le mimétisme font rage derrière les proclamations d'individualisme. On préfère reproduire à toute vitesse que vérifier et s'interroger. On cède à l'impulsion et à la colère collective. Descartes avertissait pourtant : « La pluralité des voix n'est pas une preuve, pour les vérités malaisées à découvrir, tant il est bien plus vraisemblable qu'un homme seul les ait rencontrées que tout un peuple. »

Il était donc tout à fait prévisible que la valorisation des émotions s'accompagne d'attaques philosophiques contre la raison et les Lumières. C'est toute une conception de l'être humain et de son libre arbitre qui se trouve ainsi sous un feu nourri. On fait le procès du rationalisme qui serait froid et sans âme, qui aurait relégué au magasin des accessoires les autres modes de connaissance, parmi lesquels se trouvent précisément l'émotion et les passions, mais toutes ces accusations relèvent de la caricature. Pour les Lumières, si elle est un outil, la raison est surtout l'expression, selon les mots de Jean Jaurès, de la « préformation morale de l'humanité », c'est-à-dire de la capacité de l'être humain à vouloir le bien et, concrètement, à transformer la société dans un élan fraternel. Dans son *Tableau historique des progrès de l'esprit humain*[6], Condorcet, lui,

---

6. Nicolas de Condorcet, *Tableau historique des progrès de l'esprit humain*, Paris, Masson et fils, 1822 [1795], http://gallica.bnf.fr/ark:/12148/bpt6k281802.

soulignait le lien entre raison et morale, consubstantiel aux Lumières politiques. Descartes évoquait quant à lui la « générosité » dans son *Traité des passions*. Ainsi, le rationalisme n'éradique pas la sensibilité. Il établit une préférence dans le champ des connaissances et de la politique : seule la raison peut mettre tout le monde d'accord quand sentiments, passions et croyances demeurent, par nature, le champ des inégalités. Les ressentis sont propres à chacun tandis que la raison est propre à tous, même si elle n'est pas utilisée de la même manière par tout un chacun. Autant on peut discuter d'une pensée, autant les sensibilités clôturent la discussion. Réduite à l'idéologie techniciste et à un scientisme pratico-pratique, la raison a même essuyé l'accusation absurde d'avoir « conduit à Auschwitz[7] ».

Des attaques plus inattendues sont venues renforcer le camp des anti-Lumières. Des intellectuels considérés comme progressistes (Michel Maffesoli, Alain Touraine, entre autres) ont complété la critique marxiste classique (liberté réelle contre liberté formelle) par une contestation culturalo-politique de la raison. Dans une perspective postmoderne – déconstruction du sujet politique au profit de la valorisation des « identités » culturelles, religieuses ou sexuelles –, la philosophie du XVIIIe siècle est accusée de jeter un voile d'indifférence sur les inégalités sociales ; abstraite, elle justifierait dans les faits les discriminations dont sont victimes, par exemple, les populations immigrées paupérisées dans les sociétés occidentales. Le philosophe Jean-Claude Guillebaud et l'historien israélien

---

7. Jean-Marie Lustiger, *Le choix de Dieu*, Paris, Éditions de Fallois, 1987.

Zeev Sternhell[8] démontrent l'erreur de perspective qui charge les Lumières de maux qui les dépassent, tandis que prospère un dangereux discours de l'assignation identitaire qui ne donne pas voix au chapitre à ceux qui ne peuvent ou ne veulent pas revendiquer une identité, ou qui souhaitent en exprimer plusieurs. La raison ne nie pas les différences, elle souligne ce qui est « général et commun à tous les hommes pour en constituer leur unité », selon les mots du philosophe Bruno Antonini[9]. Pour les philosophes des Lumières, explique Sternhell, « il ne fallait pas permettre que l'histoire et la culture rendent l'homme prisonnier d'un quelconque déterminisme. Pour eux comme pour Kant, les Lumières étaient un processus par lequel l'individu accédait à la maturité, et sa libération des entraves de l'histoire constituait l'essence des Lumières et la naissance de la modernité. Depuis lors et jusqu'à nos jours, dans la pensée des Lumières, le bien de l'individu constitue l'objectif final de toute action politique et sociale[10] ». À rebours de cette ambition, la dictature de l'émotion, en valorisant l'éphémère des affects, le fugace du ressenti, substitue à la communauté de citoyens autonomes et solidaires le tribalisme d'individus amoureux d'eux-mêmes, mais angoissés. Elle est le symptôme et le carburant d'un narcissisme inquiet qui emprisonne les individus.

Le déclassement de la raison porte un coup fatal à l'esprit critique qui, à l'inverse de l'émotion, nécessite le temps de la

---

8. Zeev Sternhell, « Anti-Lumières de tous les pays… », *Le Monde diplomatique*, décembre 2010 ; Jean-Claude Guillebaud, *La trahison des Lumières. Enquête sur le désarroi contemporain*, Paris, Seuil, 1995.

9. Bruno Antonini, « Sommes-nous en train de renoncer à l'esprit des Lumières ? », *Humanisme*, Paris, n° 317, novembre 2017.

10. Sternhell, « Anti-Lumières de tous les pays… », *loc. cit.*

réflexion et la mise à distance pour fonctionner. Celui-ci repose sur la capacité à s'interroger, à contester ses propres préjugés et idées reçues, à mettre en cause ce qui précisément semble évident et qui n'est souvent que le résultat de la perception primaire de nos sens. Or, « pour atteindre la vérité, il faut une fois dans la vie se défaire de toutes les opinions qu'on a reçues, et reconstruire de nouveau tout le système de ses connaissances[11] », explique justement Descartes. Contrairement – là aussi – à une légende tenace, la raison ne se fonde pas sur des certitudes, et encore moins sur un dogme techniciste. Elle se construit plutôt sur un doute méthodique, exposé par Descartes dans son *Discours de la méthode* (et que beaucoup pourraient relire avec profit). Elle est avant tout l'exercice d'un questionnement qui permet à l'esprit de progresser, étape par étape, en cherchant toujours à aller plus loin. « Seule la répétition constante réussira finalement à graver une idée dans la mémoire d'une foule », rappelle Aldous Huxley, « la philosophie nous enseigne à douter de ce qui nous paraît évident. La propagande, au contraire, nous enseigne à accepter pour évident ce dont il serait raisonnable de douter ». Un adage résume bien ce trait fondamental : le mauvais mathématicien dit : $2 + 2 = 5$; le bon mathématicien dit : $2 + 2 = 4$; le très bon mathématicien dit : $2 + 2$ font probablement 4. C'est le « probablement » qui témoigne de l'esprit scientifique, rend modeste et donne envie de poursuivre les exercices de réflexion en s'ouvrant toujours un peu plus sur les réalités du monde qui nous entoure. Voilà donc ce qui fait tomber l'accusation prononcée

---

11. René Descartes, *Œuvres philosophiques. 1618-1637*, Paris, Bordas, 1996.

contre la raison concernant Auschwitz, car rien n'est moins habité par le doute qu'une chambre à gaz ; et rien n'est plus irrationnel que l'idée de hiérarchie des races.

Dans un tel contexte idéologique, il n'est pas surprenant que se développent les « infaux » ou *fake news*. De tout temps, des esprits malintentionnés ont diffusé des contrevérités ou des mensonges. Toutes les sociétés politiques depuis l'Antiquité ont été affectées par de telles manœuvres, avec les outils de leur époque, mais ce qui est particulièrement alarmant de nos jours, c'est qu'après des siècles d'acculturation, les gens ne sont plus en mesure de distinguer le réel de son aberration. Le problème n'est pas tant l'existence de ces infaux (bien que, mêlées à l'exploitation politique des données personnelles, elles donnent un cocktail particulièrement toxique), mais c'est le fait que les citoyens ne soient pas en capacité de distinguer le vrai du faux, le vraisemblable de l'impossible. La société désapprend collectivement à réfléchir et perd ainsi une à une ses défenses immunitaires contre la manipulation, l'invraisemblable, la bêtise. L'océan émotionnel dans lequel on la plonge, et dans lequel certains individus se plaisent souvent à barboter, réduit progressivement ces derniers à l'état de vivants sans cervelle, de zombies. Le monde de l'émotion prétend valoriser l'individu, mais il le prive en fait de son autonomie, de son libre arbitre, en sapant ce qui lui permet de choisir, décider, savoir, au profit de l'impérieuse nécessité « d'éprouver » et de sentir, puis de se fier au ressenti pour se mouvoir en société. Dans les sociétés contemporaines déboussolées, l'être humain erre en lui-même comme un enfant abandonné, dépossédé de sa raison, dominé par ses émotions. « Une "pensée" paresseuse s'est installée dans notre civilisation », explique ainsi Bruno

Antonini, «posture facile relativiste au nom d'une tolérance molle, un mauvais individualisme donc, celui qui claquemure chacun narcissiquement au fond de lui-même en niant [...] toute valeur commune possible[12]».

Sur le terrain miné de la critique de la raison s'épanouit le dogme. Dans la vieille Europe et dans le monde occidental en général, celui que l'on croyait avoir détruit en mettant un terme aux guerres de religion effectue un retour fracassant, et c'est dans le domaine de l'économie que ce phénomène est le plus flagrant. Les traités européens énoncent de manière précise les principes qui doivent guider les politiques dans ce secteur : le fonctionnement du marché commun obéit à des règles ciselées et sanctionnées par des tribunaux et des cours. Tout contrevenant s'expose à la mise au ban de la communauté et à des amendes. De nouveaux grands inquisiteurs dénoncent les hérétiques et fulminent contre eux des anathèmes. Des déclarations et des livres comme *Le négationnisme économique et comment s'en débarrasser ?*[13] érigent ainsi des bûchers modernes sur lesquels, au nom de la science, on menace de brûler ceux qui osent douter des vertus du libre-échange. Avec le dogme se propagent insidieusement les «vérités officielles», les choses que l'on est sommé de tenir pour vraies parce que les autorités publiques l'ont décidé, voire même voté. La notion de «vérités officielles» se trouve en germe dans les lois mémorielles dont l'historienne Madeleine Rebérioux, alors présidente de la Ligue

---

12. Antonini, «Sommes-nous en train de renoncer à l'esprit des Lumières», *loc. cit.*

13. Pierre Cahuc et André Zylberberg, *Le négationnisme économique et comment s'en débarrasser*, Paris, Flammarion, 2017.

des droits de l'Homme, (LDH) avait critiqué le caractère atten-
tatoire à l'esprit critique et à la liberté de la recherche[14]. L'alter
ego du dogme n'est autre que le consensus : dans une logique
quelque peu naïve, on prétend vouloir apaiser la discussion
publique, mais ce faisant, on met la charrue avant les bœufs,
car le consensus n'est pas une donnée, c'est un résultat. Il
n'existe pas de démocratie sans affrontement, sans conflits,
mais ceux-ci doivent s'exprimer sans violence[15].

IMPOSSIBLE DIALOGUE CIVIQUE

L'emprise de l'émotion mine l'espace public en développant
une forme de relativisme qui isole chacun dans sa sphère intime.
La survalorisation de soi-même et de ses affects dynamite le dia-
logue civique. Paradoxalement, tout en réclamant à cors et à cris
que leur sensibilité soit épargnée, les individus se voient
constamment entraînés à passer les bornes, à repousser les
limites de la plus naturelle décence. Parmi ceux qui sévissent
régulièrement avec véhémence sur les réseaux sociaux, peu ose-
raient dire « en vrai » ce qu'ils se permettent d'écrire sur ces
plateformes. « On se parle à coups de kalachnikovs, aujourd'hui »,
déplore la metteur en scène Ariane Mnouchkine[16]. On se jette à

---

14. En France, la loi Gayssot du 13 juillet 1990 interdit la contestation des
crimes contre l'humanité définis par le tribunal de Nuremberg. Voir
Madeleine Rebérioux, « Le génocide, le juge et l'historien », *L'Histoire*, n° 138,
novembre 1990.

15. André Bellon, « Pas de démocratie sans conflit », *Le Monde diplomatique*, juin 2009.

16. Brigitte Salino, « Ariane Mnouchkine : "La censure se glisse partout,
dans la trouille surtout" », *Le Monde*, 22 février 2018.

la figure des émotions contraires, en cliquant compulsivement sur des émoticônes censées condenser tout un argumentaire. Les petites figures jaunes, riantes ou tristes, avec leurs centaines de variantes, atrophient les échanges, appauvrissent ce qui devrait être une vraie conversation.

Autre paradoxe apparent : c'est alors que les outils de communication se multiplient et se sophistiquent et que des connexions s'établissent d'un bout à l'autre de la planète, que la communication se vide. Cela confirme que les outils ne sont pas, en eux-mêmes, porteurs de valeur ; ils ne disent rien *a priori* de la qualité de la société dans laquelle on vit. Sinon, compte tenu de la sophistication des technologies de l'information, l'humanité devrait avoir atteint un haut degré de partage, de connaissance, de civilisation. Les instruments ne valent rien si l'esprit humain n'est pas aux commandes. Or, aujourd'hui, la dictature du « temps réel » et du ressenti pulvérise la capacité d'attention et d'ouverture à l'autre. Ariane Mnouchkine, qui fonda le Théâtre du Soleil, formule ce souhait à contre-courant : « J'aimerais que nous arrivions à avoir des assemblées où [...] l'on s'écouterait vraiment, où on ne se jugerait pas avant même le complément d'objet direct [...], où l'on admettrait qu'il faut parfois un silence, après, pour réfléchir à ce que l'autre vient de dire. Converser, cela voulait dire : vivre ensemble. Dans les débats, c'est le contraire : les gens sont plus divisés à la fin qu'ils ne l'étaient au début. On a perdu l'art de se parler. On ne se persuade plus, on s'ostracise immédiatement. Et ça, c'est dangereux, dans une société. Et triste[17]. » La raison fonde l'espace politique en créant une communauté de

---

17. *Ibid.*

citoyens qui, se sachant semblables par leur commune humanité, se reconnaissent égaux. Cette égalité est la condition de la confiance entre eux et de leur capacité à converser et communiquer.

Emblématique de cette destruction de la capacité de communication réelle, l'usage répandu de l'expression «Moi, j'ai l'impression que» en lieu et place de «Je pense que». C'est la délégitimation de l'autorité du savoir au profit de celle du ressenti. Pour participer au débat public, on assume par là une subjectivité qui n'a pas d'autre fondement qu'elle même. L'expérience vécue devient la pierre de touche de toute réalité, elle se substitue à la factualité, la réalité objective. Le philosophe Thomas Schauder rappelle pourtant que «l'expérience immédiate, le ressenti, l'émotion, ne donnent accès qu'à des opinions, en aucun cas à des faits ou des preuves[18]». Il prend l'exemple de l'académicien Alain Finkielkraut qui, sur un plateau de télévision, a pris position contre l'écriture inclusive en se contentant d'affirmer, sans avancer plus d'arguments: «Je pense que si vraiment les femmes vivaient dans une situation d'oppression, on n'aurait pas ouvert ce front-là.» Un tel sujet appellerait pourtant une discussion plus exigeante. Comme le souligne Émile Durkheim dans ses *Leçons de sociologie*, la pensée a un caractère social au sens où on ne pense jamais pour soi: les sujets singuliers portent en fait une réflexion sur la société elle-même parce qu'ils sont engagés dans le monde. Il s'agit, selon lui, de la même réflexivité que pour les institutions sociales et politiques, les ingénieurs, les travailleurs, les militants, les

---

18. Thomas Schauder, «Émile Durkheim, un centenaire oublié, une œuvre pourtant indispensable», *Le Monde*, 6 décembre 2017.

instituteurs, etc. Et le corps politique doit toutes les intégrer, les accorder en les laissant être librement. C'est pourquoi Durkheim énonce que « l'État est l'organe de la pensée sociale ».

La culture du « Moi, j'ai l'impression que » atteint elle aussi son paroxysme dans les réseaux sociaux où tout se vaut, tout est mis sur le même plan. Mais on retrouvait déjà cette confusion dans les médias classiques qui ne distinguaient pas les registres : ainsi, interrogé sur une grande chaîne de télévision, le sociologue Pierre Bourdieu s'est vu remercié par un toni-truant : « Merci de votre témoignage. » On imagine aisément l'embarras d'un chercheur venu présenter les résultats de ses travaux, qui n'avaient donc rien d'un témoignage. Mais pour les journalistes, habitués et entraînés à traiter les informations sur le même mode, toutes les paroles se valent quel que soit le sujet (universitaire, politique, artiste, etc.). Le choix du mot « témoignage », la forme la plus immédiate, brute, et souvent la plus sensible d'expression, n'est d'ailleurs pas anodin et témoigne, justement, du bain émotionnel dans lequel est plongé le présentateur. Chacun peut naturellement trouver sa place sur les plateaux télévisés, mais il n'est pas sain que les paroles soient ainsi indistinctes. Les scientifiques et les cher-cheurs tendent eux-mêmes le bâton pour se faire battre lorsqu'ils participent à des émissions de divertissement où les conditions d'une expression sereine ne sont pas garanties. Ils exposent leurs travaux entre deux séquences divertissantes, assis entre un footballeur et un mannequin, sur des plateaux télévisés où l'animateur les interrompt sans cesse, les empê-chant de suivre le fil de leur pensée.

L'expression « Moi, j'ai l'impression que » est aussi le pen-dant individuel de ce qu'est l'« opinion publique » pour la société tout entière, et dont le même Pierre Bourdieu a signalé les faux-semblants. Pour le sociologue qui a étudié la mécanique des sondages, l'opinion publique est une forme de croyance non démontrée et surtout construite, voire fabriquée, par ceux qui formulent les questions.

> L'«opinion publique» qui est manifestée dans les premières pages de journaux sous la forme de pourcentages (60 % des Français sont favorables à…), écrit-il, cette opinion publique est un *artefact* pur et simple dont la fonction est de dissimuler que l'état de l'opinion à un moment donné du temps est un système de forces, de tensions et qu'il n'est rien de plus inadéquat pour représenter l'état de l'opinion qu'un pourcentage. [...] Bref, j'ai bien voulu dire que l'opinion publique n'existe pas, sous la forme en tout cas que lui prêtent ceux qui ont intérêt à affirmer son existence[19].

La profusion des sondages aujourd'hui traduit bien la dictature de l'instant : on interroge les citoyens «à chaud», sans débat et sans information, sur les sujets les plus divers et auxquels parfois ils n'entendent rien. Le résultat fait ensuite figure de vérité, on en déduit que les «Français pensent que» ou les «Canadiens pensent que». La manière dont on est parvenu à ce résultat importe peu. Le choix du moment se révèle crucial : interroger les populations sur la peine de mort le jour où l'on arrête l'assassin d'un enfant n'est évidemment pas indifférent, compte tenu du climat émotionnel. C'est aussi pourquoi la démocratie demande du temps et, si possible, de la sérénité. Il arrive que l'on compare les sondages et les élections : untel ou unetelle a perdu des voix entre le sondage de mars et le vote de juin. Pourtant, les deux mesures

---

19. Pierre Bourdieu, «L'opinion publique n'existe pas», *Les Temps modernes*, n° 318, janvier 1973, p. 1292-1309.

n'ont, de toute évidence, pas la même valeur. «Nous voici de plain-pied dans la démocratie d'émotion, grimace de la démocratie d'opinion, elle-même grimace de la démocratie représentative», s'exclame le politiste Michel Richard. «Demain, une démocratie de la niaiserie, en attendant celle du gâtisme[20]?»

UN DÉFI POLITIQUE

Le poids des affects dans les sociétés modernes renouvelle le vieux débat sur les rapports entre la raison et les émotions. Tout comme Descartes estimait que les passions contribuaient à l'exercice du jugement, ne serait-ce qu'en donnant une idée de ce qui est bon pour soi, les chercheurs modernes estiment que les deux registres, émotion et raison, se complètent, qu'on peut élaborer une conception «intégrative» des deux. «Les données actuelles montrent que la quasi-totalité de notre cerveau est sensible à des informations émotionnelles, explique ainsi le psychologue Benoît Bediou. Ceci a d'ailleurs permis de [...] mieux comprendre les biais (notamment attentionnels et mnésiques, mais aussi les biais de jugements) qui reflètent justement ces interactions étroites entre cognition (ou raison) et émotion[21].» Dans le registre politique, le philosophe Frédéric Lordon propose donc d'allier les affects à la puissance conceptuelle que seule permet la philosophie et à l'empirisme des sciences

---

20. Michel Richard, *La République compassionnelle*, Paris, Grasset, 2006.
21. Benoit Bediou, «Peut-on parler de dualité entre la raison et l'émotion? La raison est-elle indispensable à l'émotion et vice versa?», Radio Télévision suisse, 26 mars 2010, www.rts.ch/decouverte/sante-et-medecine/corps-humain/4641599-peut-on-parler-de-dualite-entre-la-raison-et-l-emotion-la-raison-est-elle-indispensable-a-l-emotion-et-vice-versa-.html.

sociales. En effet, « un affect ne peut être contrarié ni supprimé que par un affect contraire et plus fort que l'affect à contrarier », explique-t-il en reprenant Spinoza. L'affect de l'indignation serait pour lui « ce point d'intolérance dépassé où l'État [...] perd toute emprise sur ses sujets », ce qui expliquerait les mécanismes des mouvements sociaux et les victoires que ceux-ci peuvent remporter. Mais, avant de maîtriser les « affects de la politique[22] » pour les mettre au service du progrès social, il est nécessaire de sortir de l'état d'infantilisation doloriste dans lequel la dictature de l'émotion plonge la démocratie.

La situation actuelle crée un déséquilibre. En effet, les institutions qui devraient valoriser la raison, celles qui sont au cœur même du fonctionnement démocratique, favorisent trop souvent les émotions. La vieille bataille se poursuit, mais l'un des camps voit ses rangs se clairsemer. La raison faiblit faute de combattants. Du coup, le ressenti n'est pas une question d'ordre privé : il met en péril la communauté tout entière et fait vaciller la République. Il n'existe pas de liberté dans la dictature des affects. Aucune démocratie ne peut être gouvernée par l'émotion. Le sort de la société en dépend. C'est donc un défi politique majeur, un enjeu de civilisation que de remettre la raison au centre des préoccupations, en laissant le ressenti à sa place.

---

22. Frédéric Lordon, *Les affects de la politique*, Paris, Seuil, coll. « Sciences humaines », 2016.

CONCLUSION

PLUS LA SOCIÉTÉ SE DÉCOMPOSE sous les coups de boutoir de l'ultra-libéralisme, plus la souffrance se répand, sans autre soulagement que des émotions fugaces. L'émotion renvoie ainsi à l'individualisme exacerbé des sociétés modernes, à la solitude du consommateur déshumanisé poussant son caddie, arbitrant ses préférences sur la courbe de l'indifférence. « Nous sommes en train de vivre la conséquence d'une importante fragmentation et du pluralisme de nos sociétés démocratiques qui n'ont plus de morale commune », explique ainsi le magistrat Denis Salas. « Se développe un individualisme très puissant sans qu'il y ait d'idéologie qui construise ce nouveau phénomène[1]. » Face aux souffrances sociales et à un avenir inquiétant, l'émotion fait du bien. Elle soulage d'autant plus qu'elle est partagée, comme lors d'une marche blanche ou d'une cérémonie officielle aux Invalides. Elle conjure brièvement le sentiment pesant de l'impuissance, en permettant une communion, certes un peu primitive, face à la dureté des temps. « Un téléspectateur ému chez lui par un crime ou le

---

1. Denis Salas, « Le couple victimisation-pénalisation », *Nouvelle Revue de psychologie*, vol. 2, n° 2, 2006, www.cairn.info/revue-nouvelle-revue-de-psy-chosociologie-2006-2-page-107.htm.

massacre de *Charlie Hebdo* est seul», précise le sociologue Christophe Godin. «La marche blanche lui permet de partager son émotion. Le phénomène est évidemment social. Et en même temps très équivoque[2].» En ce sens, l'émotion ainsi exprimée ne traduit-elle pas une recherche confuse visant à «(re)faire société», à retisser le lien social?

Car, comme tout autre phénomène, la dictature de l'émotion n'est pas univoque. D'ailleurs, l'actualité frénétique de notre époque, qui semble régresser, retourner en arrière à la vitesse d'un TGV, montre que la domination des affects n'est peut-être pas sans limites. Très récemment sont par exemple apparus des responsables politiques qui affichent, pour leur part, le rejet de l'émotion et brandissent fièrement l'étendard de la fermeté et de l'autorité. C'est le cas du président américain Donald Trump, en particulier lorsqu'il attaque les démocrates, qui manqueraient de caractère face aux délinquants et aux immigrés clandestins. Il pose en homme à poigne. Il n'est pas ici sans rappeler son homologue russe Vladimir Poutine, qui s'était illustré en réglant de manière particulièrement brutale, voire cynique, la prise d'otages au théâtre Doubrovka à Moscou en octobre 2002. Après l'intervention controversée des forces spéciales, les autorités avaient annoncé un bilan très lourd: 39 terroristes tués, mais aussi 130 otages… Dans un éditorial de février 2016, Serge Halimi mettait en lumière la mode des «hommes à poigne». Le directeur du *Monde diplomatique* notait:

---

2. Christophe Godin, «La marche blanche, un phénomène de société», *L'Obs*, 26 avril 2015.

Quand l'économie mondiale déraille, quand les cours du pétrole s'écroulent, quand les attentats meurtriers se multiplient, il n'est ni étonnant ni indifférent que les valeurs d'ordre, d'autorité, et les hommes forts, cyniques et brutaux, occupent la scène. Partisans d'une restauration patriotique et morale, nostalgiques d'un roman national, ils élèvent la voix, bandent leurs muscles, déploient leurs troupes. Installer une clôture en acier le long des frontières de son pays avec la Serbie et la Croatie a profité politiquement au premier ministre hongrois Viktor Orbán, tout comme l'annexion de la Crimée a consolidé le pouvoir de M. Poutine et la répression meurtrière des Kurdes, conforté le président turc Recep Tayyip Erdoğan.

La campagne des primaires américaines a ainsi vu les candidats faire assaut de déclarations belliqueuses, Trump allant jusqu'à recommander le rétablissement de la torture aux États-Unis.

Si l'avènement des hommes à poigne laisse entrevoir des limites à l'extension du règne de l'émotion, il ne répond que modérément à nos préoccupations, car il n'induit pas forcément l'émancipation recherchée, c'est le moins qu'on puisse dire. En effet, les citoyens se libèrent peut-être de la domination émotionnelle, mais ils se laissent embrigader par d'autres formes de discours tout aussi simplistes. Signe peut-être plus positif que la logorrhée des durs à cuire qui nous gouvernent ici ou là, les citoyens eux-mêmes montrent des signes d'exaspération devant la victimisation et commencent à la refuser. Par exemple, en novembre 2017, au Québec, des familles innues de Maliotenam sur la Côte-Nord ont eu recours à l'humour pour affronter et surmonter la violence des témoignages rendus dans le cadre de l'Enquête nationale sur les femmes et les filles autochtones disparues et assassinées. À la fin de cette activité cathartique, un « sac de larmes » a été symboliquement brûlé[3]. Après la fusillade de Benton (Floride) qui a fait 17 morts dans un lycée, les survivants ont refusé de se soumettre au protocole compassionnel. Ils ont rejeté les apitoiements officiels et les tweets de sympathie, non par refus de la solidarité exprimée, mais pour le paravent qu'ils dressent devant les causes profondes de ce type de drame et les responsabilités politiques. Amis ou proches des victimes ont déclenché un mouvement national pour le contrôle des armes aux États-Unis. Lors d'un débat public organisé par la chaîne CNN le 23 février 2018, le sénateur Marco Rubio, qui bénéficie du soutien financier de la National Rifle Association (NRA), n'a pu cacher des moments d'émotion devant les écoliers, mais il n'a pas non plus échappé à la mise en lumière de sa responsabilité d'élu. Est-ce le signe d'un rejet de la « dictature avilissante des affects » ?

La réalité parviendrait-elle malgré tout à se frayer un chemin dans la forêt des émotions ? À cet égard, l'appui de ses électeurs à M. Trump et la fascination exercée par M. Poutine sur certains en Europe peuvent être perçus comme des réactions caricaturales de sociétés repues d'affects. Ces deux hommes politiques seraient alors comme un double paradoxal de la caricature que le monde occidental est en train de peindre de lui-même. Qui peut encore croire à une « mondialisation heureuse » quand des milliers de migrants se noient de désespoir en Méditerranée, quand partout sur la planète s'érigent des murs pour repousser les pauvres ? Qui peut encore croire à

---

3. Julia Page, « Comment le rire a aidé les Innus à partager des souvenirs douloureux », Radio-Canada, 3 janvier 2018, ici.radio-canada.ca/nouvelle/1076063/innus-autochtones-audiences-enquete-publique-maliotenam.

la fiction du charmant «village planétaire» quand même les catastrophes naturelles touchent plus souvent les pauvres que les riches par une étrange sélection des victimes?

La gestion lacrymale de la société dépolitise et anesthésie les citoyens. L'une des fonctions de la stratégie de l'émotion est ainsi de neutraliser l'esprit de révolte et toute subversion potentielle. Interrogée sur l'absence de processus révolutionnaire dans une France pourtant en pleine régression sociale et politique, l'historienne Sophie Wahnich explique que la révolution de 1789 peut aussi être vue comme l'aboutissement d'un long processus de politisation de la société française déclenché dans les assemblées communales de l'Ancien Régime. Les Français avaient pris l'habitude, au Moyen Âge, d'échanger sur les affaires locales, et cette habitude s'est alors poursuivie et transformée lors de la convocation des États généraux de 1789[4]. La démocratie en France serait donc née dans les communes avant de devenir une réalité nationale. C'est sans doute ce qui explique que le découpage en cours de la carte administrative française suscite tant de remous et de tentatives de résistance[5]. Il existait avant 1789 un espace public national français, doté de références culturelles et progressivement traversé des mêmes aspirations émancipatrices. Le passage de la souveraineté du roi à la nation s'est effectué dans un cadre politique préexistant que les citoyens ont investi de leurs idées et de leurs projets, certes parfois divergents, mais c'est là le sel de la vie

---

4. Sophie Wahnich, conférence publique, Université de Nancy, 26 octobre 2015.

5. Voir, par exemple, le mouvement Communes citoyennes, www.communes-citoyennes.fr.

démocratique. La crise politique actuelle tient aussi au fait que cet espace public a progressivement disparu en France et dans de nombreuses sociétés occidentales, atomisées par les inégalités, ouvertes à tous les vents d'une mondialisation que, dans un rare consensus, plus personne n'ose prétendre « heureuse ». L'extension sans fin du domaine de la larme nous parle aussi de cette décomposition de la société qui préfère pleurer qu'agir et qui cherche dans les communions lacrymales fugaces un semblant d'existence.

L'univers du travail a éclaté avec la disparition des grandes usines, la multiplication des petites unités de production, les délocalisations qui mettent des milliers de kilomètres entre le producteur et le consommateur, et entre l'exploité et l'exploiteur. Les outils de communication favorisent paradoxalement un individualisme obsessionnel et forcené, comme le montre le déferlement généralisé des autoportraits téléphoniques ou selfies. À tel point qu'un État du sud de l'Inde a lancé, en novembre 2017, une campagne de prévention contre les selfies mortels, certaines personnes prenant des risques proprement insensés pour obtenir le cliché qui sera, finalement, celui de leurs derniers instants... Sans compter les multiples témoignages, tel celui-ci : participant à une manifestation particulièrement réussie dans les rues de Paris, nous avons entendu un jeune homme lancer à son camarade : « Viens : on rentre regarder ça à la télé ! » La pulvérisation de l'espace public rend pratiquement inopérantes les tentatives de refondation organisationnelles de la gauche que l'on voit apparaître un peu partout depuis des années. Comment, en effet, faire de la politique dans un espace qui n'existe pas ? Pour le camp du progrès, cela se révèle souvent plus ardu qu'ailleurs sur l'échiquier, car il vise l'émancipation humaine. Le choix des outils n'est pas indifférent à la crédibilité d'atteindre un but.

Peut-on distinguer dans les mouvements de la société aujourd'hui la manifestation d'une reconstitution possible de l'espace public, condition nécessaire mais insuffisante à la reconstruction de sociétés disloquées et donc à la refondation de la démocratie? Pour reprendre l'exemple symptomatique des marches blanches, on peut y voir une forme de tribalisme régressif, mais aussi, avec Christophe Godin, une tentative brouillonne de renouer des liens avec les autres. En se retrouvant dans ces manifestations d'un nouveau genre, les citoyens seraient aussi en train de procéder à un nouveau bornage de leur espace commun. De ce point de vue, la marche blanche serait en quelque sorte le stade primaire du ravaudage du tissu politique. Que ces marches aient lieu au niveau local, souvent communal, prend le contrepied du gigantisme émotionnel imposé par les événements officiels, comme les coupes sportives. Dans cette perspective, comme nous l'avons vu, la marche blanche serait «*implicitement politique*», selon Godin, qui y voit l'affirmation non dite d'une récrimination contre la puissance publique qui ne «protège plus». On se souvient que la première marche, en Belgique en 1996, avait aussi pour but de protester contre l'incurie de la police et de la justice dans la poursuite d'un criminel qui avait échappé à sa vigilance. Pour contribuer à la reconstruction de la démocratie, le processus de ravaudage devrait alors entrer dans une seconde phase qui consisterait à prolonger dans le temps les liens tissés dans l'émotion et à leur politisation progressive.

Mais de telles évolutions arrivent rarement de manière spontanée. D'où la nécessité de mettre au jour, pour s'en défaire, les mécanismes aliénants qui nous déterminent à notre insu. En premier lieu, mettre à distance le mensonge émotionnel qui sélectionne nos larmes pour nous, généreux pour les uns, avares pour les autres ; se défier aussi des premiers mouvements de nos empathies à géométrie variable, éclairées par les caméras de télévision. Retrouver, au fond, l'unité et l'autonomie promises par les Lumières, qui voulaient l'Homme tout entier, « passion » et raison, cœur et cerveau. Cela passe aussi sans doute par la reconquête des mots. Combien de fois une manifestation de sensiblerie avilissante est-elle, contre toute évidence, qualifiée de « digne » par ceux qui la promeuvent ou qui la commentent ? On pense, par exemple, à cette émission télévisée, intitulée *Tous ensemble*, dont le principe est de venir discrètement en aide à des personnes en difficulté laissées dans l'ignorance de cette démarche. Le scénario se construit toujours de la même manière : les voisins d'une famille nécessiteuse retapent, avec les fonds généreusement fournis par la chaîne, la maison de ladite famille. L'émission se termine par de bouleversantes images des bénéficiaires remerciant en sanglots leurs bienfaiteurs, sous l'œil attendri de caméras voyeuristes scrutant la moindre larmichette. Cette charité dégoulinante est l'exact contraire de la solidarité. Elle souligne en effet le rapport d'inégalité : comme dit le proverbe, la main qui reçoit l'aide est toujours en dessous de celle qui la donne. Rien de « digne » dans tout cela.

Et que dire des oxymorons qui provoquent des courts-circuits dans notre bon sens ? Comment notre entendement de citoyen peut-il, par exemple, survivre à l'idée d'une « guerre humanitaire » ? Qu'y a-t-il en effet de moins amical qu'un missile, même repeint aux couleurs des Nations Unies ? Est-on vraiment certain par ailleurs qu'il existe une « communauté internationale » ? On voit bien les grandes puissances prendre des décisions dans les enceintes mondiales, mais font-elles vraiment cas de l'opinion des pays moins puissants ? Les relations diplomatiques et les rapports de forces évoquent davantage une « société internationale », c'est-à-dire un lieu où se rencontrent des acteurs dont les points de vue ne convergent pas, mais qui peuvent, par le jeu précisément de la diplomatie, se reconnaître comme partenaires et élaborer des règles communes.

Tous les mots sont à reconquérir, à commencer par celui de « liberté », qui ne consiste pas seulement, comme le laissent entendre les clairons de la société de consommation, à pouvoir choisir son forfait de téléphone mobile ni à pianoter entre des applications inutiles et coûteuses sur sa tablette. La liberté se rapporte à une vision de l'être humain et à une ambition pour ses progrès. Même l'humanisme est galvaudé par l'humanitarisme et le droitdelhommisme, d'aucuns se persuadant qu'être humaniste consiste à cliquer sur l'icône « donner » du site d'une ONG, juste sous la photo du petit enfant qui meurt de faim. Or, l'humanisme plonge en réalité ses racines dans la philosophie antique, transite par les cités républicaines de la Renaissance italienne, et s'épanouit au XVIIIe siècle avec les Lumières. Il repose sur l'idée, si peu présente dans le débat public de nos jours, d'émancipation[6]. Il s'agit donc de retrouver une vision positive de l'homme quand domine un pessimisme très réactionnaire, que l'on retrouve chez des

---

6. Lire Serge Halimi, « Notre pari : l'émancipation », *Le Monde diplomatique*, octobre 2014.

personnalités comme Bernard-Henri Lévy[7] : l'homme serait mauvais par nature et il faudrait s'en prémunir. La dictature de l'émotion remplit une double fonction dans ce débat : en avilissant l'homme, elle confirme le diagnostic des ennemis de l'humanisme ; en jouant la carte de l'attendrissement, elle offre une compensation conservatrice à ce triste constat.

Mais l'envie d'être libre est-elle encore suffisamment présente ? La puissance libératrice des Lumières comme sa traduction politique la plus universelle, la révolution de 1789, ne sont plus pour nombre de citoyens qu'un vague souvenir. Ce n'est pas un hasard si les politiques contemporains recourent beaucoup au mot « espérance », qui relève davantage du vocabulaire religieux que du registre des politiques publiques. Ils semblent oublier, volontairement ou non, l'avertissement de Sénèque : « Quand vous aurez désappris à espérer, vous apprendrez à vouloir. »

La métaphore de la grenouille trouve un pendant chez Voltaire, qui racontait l'histoire de deux batraciens tombés dans une jatte de lait où ils risquent de mourir noyés. Le premier se met à prier, finit par s'enfoncer et se noie ; le second se débat tant et si bien que le lait devient beurre. Il n'a plus alors qu'à prendre appui sur cet élément solide pour sauter hors de la jatte.

---

7. Voir Bernard-Henri Lévy, *La barbarie à visage humain*, Paris, Grasset, 1977.

TABLE

CET OUVRAGE A ÉTÉ IMPRIMÉ EN SEPTEMBRE 2019 SUR LES
PRESSES DES ATELIERS DE L'IMPRIMERIE GAUVIN POUR
LE COMPTE DE LUX, ÉDITEUR À L'ENSEIGNE D'UN CHIEN
D'OR DE LÉGENDE DESSINÉ PAR ROBERT LAPALME

La mise en page est de Claude BERGERON

La révision du texte est de Laurence JOURDE

Lux Éditeur
C.P. 60191
Montréal, Qc, H2J 4E1

Diffusion et distribution
Au Canada : Flammarion
En Europe : Harmonia Mundi

Imprimé au Québec
sur papier recyclé 100 % postconsommation